Margaret

Margaret Williams

Margaret

Margaret Williams

Hywel Gwynfryn

Gomer

Cyhoeddwyd gyntaf yn 2018 gan
Wasg Gomer, Llandysul, Ceredigion SA44 4JL
www.gomer.co.uk

ISBN 978 1 78562 136 9

Dymuna'r cyhoeddwyr gydnabod cefnogaeth ariannol
Cyngor Llyfrau Cymru.

Argraffwyd a rhwymwyd yng Nghymru gan
Wasg Gomer, Llandysul, Ceredigion.

Cyflwynaf y llyfr i fy wyrion
Sara Mair, Elain, Wil Jon, a Nelimai,
ac er cof am Mam a Nhad

Cynnwys

Cydnabyddiaethau

Hoffwn ddiolch i Hywel Gwynfryn am fod yn ffrind ac yn gefn i mi yn ystod blwyddyn anodd, i Mari Emlyn am ei help a'i hamynedd ac i'm ffrind Ann Williams, Brynsiencyn, am ei chymorth a'i charedigrwydd.

Cydnabyddiaeth y Lluniau

Llun y Clawr	ITV Cymru Wales
'Cân i Gymru'	BBC Cymru Wales
Principal Boy *Cinderella*	Derek Peters
Ivor Emmanuel, *Babes in the Wood*	Trwy ganiatâd y New Theatre, Caerdydd
Adre Dros Dolig	BBC Cymru Wales
Gyda Molly a Benny Litchfield	Peter Wilson
Cyfarfod â'r Tywysog Charles	Doug McKenzie
Margaret, Dafydd Iwan & Huw Ceredig	BBC Cymru Wales
Cyhoeddwraig S4C	S4C
Margaret ac Aled Jones	BBC Cymru Wales
Margaret gyda Manon ac Arthur Davies	Gerallt Llewelyn
Gwisg David ac Elizabeth Emanuel	BBC Cymru Wales
Margaret gyda'r Ddau Frank	ITV Cymru Wales
Margaret a Dic Jones	Tegwyn Roberts
Rhaglen *Ddoe a Heddiw*	Warren Orchard

'Tranc yr iaith' gan Rhys Ifans a Meirion Davies

Agorawd

'Margaret Bryn'. Dyna sut roedd hi'n cael ei hadnabod yn y dyddiau cynnar pan oedd hi'n ennill y wobr gyntaf bron bob tro ym mhob eisteddfod, gan gynnwys Eisteddfod Genedlaethol Abertawe yn 1964, lle'r enillodd hi'r Rhuban Glas. Ond fel y Nico y canodd hi amdano fo droeon, aeth Margaret â'i neges ar adain cân ymhell o Frynsiencyn a'r tu hwnt i ffiniau Cymru, ac mae ei hunangofiant yn llawn hanesion am rai o sêr rhyngwladol y byd adloniant fu'n gwmni iddi ar y daith.

Ond dydi bywyd byth yn fêl i gyd. Ar ddiwedd 2016, a hithau newydd ddechrau croniclo ei hanes, daeth y newyddion ei bod yn dioddef o ganser y fron a chafodd lawdriniaeth ymhen y mis. Ar ôl pendroni, penderfynodd y byddai'n dyfalbarhau i ysgrifennu ei hunangofiant, gan gynnwys hanes ei brwydr yn erbyn canser; ac fe welir yn yr hunangofiant hwn fod dyfalbarhad yn rhan o'i hanian.

Mae Margaret wedi bod yn seren ers y chwedegau, ac mae hi'n dal i ddisgleirio.

Hywel Gwynfryn

Pennod 1

'O'r fan acw'

'Hogan, myn diawl, Luned!' Dyna oedd ymateb y fydwraig, Nyrs Jones Tŷ Croes, wrth ddod â fi i'r byd mawr am y tro cynta rioed. Roedd hi, Mam a Nain wedi gwirioni'n lân. Y rheswm am y waedd o lawenydd a syndod, mae'n bur debyg, oedd oherwydd eu bod nhw'n disgwyl gweld hogyn; hogyn mawr arall fel fy nhri brawd: Bryniog, Albert a John (bu farw John chydig ar ôl ei eni a'i fedyddio). Roedd Doctor Griffiths o Aberteifi, mab yng nghyfraith yr enwog John Williams Brynsiencyn, wedi cael ei synnu hefyd, nid oherwydd mai hogan oeddwn i, ond oherwydd nad oedd o'n disgwyl fy ngweld i o gwbwl am rai oriau ac wedi dweud yn gynharach wrth Mam, 'Ma 'da chi dipyn o amser i fynd'. Yn naturiol, tydw i ddim yn cofio dim am yr enedigaeth.

Y cof cynta sydd gen i ydi sefyll mewn cot mawr gwyn efo bariau o nghwmpas i, a choblyn o bigyn yn fy nghlust. Dwi'n clywed cnoc ar y drws ac mae 'na 'lady' doctor yn sefyll yno'n siarad Saesneg efo Mam. Dwi inna'n dechrau crio fel mae'r ddwy yn cerdded tuag at y cot. Dwi'n gwybod yn iawn be sydd o mlaen i! Mae gan y 'lady' doctor lwy yn y naill law a photel fach o olew yn y llall, ac mae Mam yn cario cannwyll. Ar ôl i'r nyrs dywallt yr olew yn ofalus i mewn i'r llwy a'i g'nesu efo'r gannwyll, mae Mam yn gafael ynof fi'n dynn ac mae'r olew cynnes yn dripian i mewn i nghlust i. Does dim rhyfedd fy mod i'n sgrechian yn afreolus, nerth fy mhen.

Dwi'n debyg iawn i Mam; yr un taldra a gwallt du; ond ll'gada brown oedd ganddi hi a finna â ll'gada gwyrdd. Yn wahanol i mi, ella, doedd Mam ddim yn un am wenu ryw lawer. Roedd 'na lyfr yn y tŷ pan oeddwn i'n ifanc yn llawn lluniau ohoni hi, a doedd hi ddim yn gwenu yn yr un ohonyn nhw. Roedd 'na frawddeg yng nghefn y llyfr yn dweud *Young girls do not smile often*, awgrym ella ei fod o'n goman i wenu gormod!

Roedd Mam yn diodda'n arw iawn drwy ei hoes efo cryd cymalau – *rheumatoid arthritis*. Weithiau byddai'r boen mor ddrwg fyddai hi ddim yn dŵad allan o'r gwely, a phan fyddai hi'n mentro lawr grisia byddai hi'n dŵad yn ara deg bach, wysg ei chefn, gan bwyso yn erbyn y wal wrth gamu'n ofalus o ris i ris. Ac eto, roedd hi'n cyfeilio yn y capel ac i minna hefyd pan oeddwn i'n blentyn mewn cyngherddau ac eisteddfodau, er gwaetha'r cryd cymalau.

Cyn i mi gael fy ngeni roedd Nhad yn bur wael efo dybl niwmonia pan oedd o'n bedair ar bymtheg oed, ac yn canlyn Mam. Roedd pentrefwyr Brynsiencyn yn ôl y sôn yn taenu gwellt y tu allan i'r tŷ rhag i sŵn olwynion y troliau wrth fynd heibio ei styrbio fo. Un tal, golygus oedd o; ll'gada glas a gwallt du efo *rhesan wen*. Does dim rhyfedd i Mam feddwl ei fod o'n bishyn, ac yn dipyn o *catch*; *catch* tlawd, mae'n wir, ond *catch* yr un fath. Priododd y ddau ym mis Ionawr, 1931 ar ddiwrnod pen-blwydd Mam yn ugain oed, ac roedd hi'n cario Bryniog fy mrawd ar y pryd. Pan sylweddolodd Mam ei bod hi'n feichiog, doedd ganddi ddim dewis ond priodi. Roedd cael plentyn cyn priodi'n bechod anfaddeuol y dyddiau hynny. Diolch byth fod pethau wedi newid erbyn hyn.

Fedra i ddychmygu sut oedd hi'n teimlo achos roedd hi'n berson preifat iawn. Dwi'n cofio Nhad yn dweud wrtha i'n gellweirus, 'Pan oedd dy fam yn cario Bryniog, fasa hi ddim yn dŵad allan nes basa hi'n t'wllu, a wedyn fasa'n rhaid i mi gerddad o'i blaen hi, a hitha reit tu ôl i mi, rhag i bobol ei gweld.'

Roedden ni a Mam hefyd yn rowlio chwerthin am hyn – amser yn lleddfu, ond mi ddaru'r ffaith iddi fod yn disgwyl plentyn mor ifanc, ac felly briodi yn ugain oed, adael ei hôl arni hi. Bu hyn ar ei meddwl hi drwy gydol ei hoes.

Flynyddoedd yn ddiweddarach, a finna erbyn hynny yn athrawes, roeddwn i'n ista yn nhacsi Lisi Williams Cartrefle, oedd â busnas tacsis yn Bryn ac yn ffrindia mawr efo Mam. Mynd i gystadlu i Eisteddfod Llangollen oeddwn i, mam yn y sêt flaen, Lisi yn gyrru, a finna yn y cefn. A dyma Lisi yn dweud heb feddwl, 'Mi fasa dy fam wedi ca'l bod yn athrawes hefyd tasa hi wedi byhafio.' Roedd hi'n sôn am rywbeth oedd wedi digwydd flynyddoedd ynghynt, a dyna sut ddois i i wybod am yr hanes. Dwi'n siŵr fod Mam druan yn gwingo wrth glywed Lisi yn sôn am hyn i gyd. Bron i ddeugain mlynedd yn ddiweddarach, pan oedd Mam yn byw yng nghartref Glan Rhos a finna wedi mynd i'w gweld hi am sgwrs, fe ddechreuodd grio'n dawel a sibrwd, 'Fues i'n hogan ddrwg i Mam a Tada.' Hyd yn oed a hitha yn ei hwythdegau, fedrai hi ddim anghofio ei bod hi wedi gorfod priodi.

Hi oedd ysgrifenyddes y capel, ac mi fuodd hi'n Ysgrifennydd Cyffredinol Eisteddfod Môn yn y pumdegau ac yn Gadeirydd y Pwyllgor Cerdd yn yr wythdegau pan oedd hi'n saith deg pedair oed. Tybed be fyddai hi wedi'i wneud efo'i bywyd tasa hi ddim wedi gorfod priodi ac wedi cael cario mlaen efo'i haddysg? Mi fyddai hi'n dweud o hyd ac o hyd, 'Taswn i'n ca'l gwaith, taswn i'n ca'l gwaith…' Dwi'n cofio gofyn iddi hi, ar ôl gweld hysbyseb yn y *North Wales Chronicle* am ysgrifenyddes i weithio mewn siop yn y Borth, 'Pam na newch chi ddim trio amdani, Mam?' Ond yr un oedd ei hateb bob tro, 'Na. Fasa dy dad ddim yn fodlon.'

Roedd Nhad yn denor hyfryd, ac roedd ganddo fo *concert party*, Parti Min Menai. Dad oedd yr arweinydd a Mam oedd yn trefnu'r nosweithiau ac yn cyfeilio iddyn nhw hefyd os na fyddai'r cryd cymalau'n rhy boenus. Dwi'n cofio clywed stori am fy nhad yn canu mewn eisteddfod unwaith 'Hon yw fy Olwen i' efo copi o'i flaen. Ar ôl iddo fo orffen canu, dyma'r beirniad yn dweud ar y diwedd, 'Da iawn. Ond os ydach chi'n mynd i ganu o gopi – gwnewch yn siŵr nad ydach chi ddim yn ei ddal o a'i ben i lawr.'

Yn ein tŷ ni, yn Terfyn Terrace, y byddai'r parti'n ymarfer y caneuon, caneuon poblogaidd y cyfnod fel caneuon Triawd y Coleg, 'Anfon Nico', 'Peintio'r Byd yn Goch', 'Englynion Coffa Hedd Wyn' ar 'Troyte's Chant', a 'Gelert, ci Llywelyn'. Yr unig un na fyddai'n gwerthfawrogi'r canu am Gelert oeddwn i. Byddai clywed y canu yn giw i Rex y ci redeg fel peth gwirion o dan y piano i udo dros y tŷ. Rhwng yr udo, y canu a'r geiriau trist am Gelert mi fyddwn inna ar ben grisia'n beichio crio, a thrwy hyn i gyd mi fyddai'r plismon lleol, Mr Peters, yn ista'n braf yng nghanol yr holl sŵn! Mae'n siŵr fod hynny'n brafiach na cherdded allan yn yr oerfel!

Roedd y parti canu'n mynd ag artistiaid efo nhw i bob man hefyd: pobol fel Rovi, y consuriwr, a Mair Davies, oedd yn gontralto dda iawn, a Huw Tan Pen Cefn. Dweud straeon digri fyddai Huw a chanu efo Dad ac Albert, fy mrawd, fel aelod o Driawd y Buarth. Pan ddaeth y Genedlaethol i Langefni yn 1957 roedd 'na gannoedd yn canu ar y sgwâr y tu allan i'r Bull Hotel ac Albert yn eu canol nhw. Mi deimlodd Albert law ar ei ysgwydd a rhywun yn dweud, 'Dylai'r llais yna fod yn eich cynnal chi.' Pwy oedd o ond y cyfansoddwr a'r cyfeilydd Meirion Williams. Ar ôl clywed y geiriau yna aeth Albert i gael hyfforddiant lleisiol at Powell Edwards i Fangor. Roedd y canwr enwog Elwyn Jones Llanaelhaearn a'i frawd Arthur hefyd yn cael eu hyfforddi ganddo.

Roeddwn i'n hogan fach lwcus iawn – roedd gen i ddwy nain: Nain Arwel a Nain Glan Braint. Gwisgai Nain Glan Braint, mam fy nhad, sgert laes ddu at ei thraed, brat a siôl a'i gwallt gwyn wedi ei godi'n uchel mewn *bun* ar ei phen a hwnnw wedi ei dynnu'n ôl. Mae 'na lun neis iawn ohoni hi efo Nhad, a fynta'n gwisgo myfflar gwyn, top côt ddu a het am ei ben yn edrych yn 'rêl sbif', fel y byddai Mam yn ei ddweud!

Roedd Nain Arwel ddeng mlynedd yn fengach na Nain Glan Braint ac yn gwisgo blowsus a breichledi. O'r ddwy roeddwn i'n nes at Nain Arwel; roedd hi'n byw dros ffordd a Bryniog yn byw hefo hi, ac mi fyddwn inna'n byw a bod yno hefyd. Ond mi fyddwn i'n mynd i gael te bob dydd hefo Nain Glan Braint, ac mi fyddai hi'n trio'i gora i nghael i fwyta crystyn yn ogystal â'r frechdan. Felly mi fyddai hi'n gafael yn y crystyn a'i blygu o yn ei hannar, yn rhoi llwyth o fenyn arno fo, siwgwr ar ben hwnnw, a dweud, 'Byta fo i gyd rŵan i ti ga'l gwallt cyrls.' Roedd gen i wallt syth bin!

Mi fyddwn i wrth fy modd yn mynd i gysgu hefo Nain Arwel mewn gwely plu cynnes braf. Byddai hi'n dweud ei phader bob nos cyn mynd i'r gwely ac mi fyddai hi'n mynd lawr ar ei phenaglinia, yn rhoi ei dwylo ar y gwely, a byddai'r ddwy ohonon ni'n dweud ein pader yn ddistaw efo'n gilydd a finna bob amsar yn gorffen drwy ddweud, 'Edrach ar ôl Mam a Dad a fy ffrindia. Amen.' Aeth hi ddim i'w gwely unwaith heb ddweud ei phader. Pan oedd hi'n saith deg pump oed bu'n rhaid iddi hi fynd i Ysbyty C&A ym Mangor. Doedd hi rioed wedi bod mewn ysbyty o'r blaen, ac yn naturiol, roedd hi'n poeni. Galwodd Mr Hughes, y gweinidog, i'w gweld hi a hithau ar fin mynd i'r theatr am lawdriniaeth, ac yn ei geiriau ei hun mi ddywedodd, 'Mi afaelodd yn fy llaw i a deud gweddi fach, a do'n i ddim 'run un wedyn.'

Un o Bodfari ger Dinbych oedd Nain Glan Braint, ac wedi bod yn gweini yn Llundain. Cafodd ddeuddeg o blant i gyd a nifer o'r plant hyna wedi eu geni yn Sir Ddinbych. Fy nhad oedd y fenga, a phob un ohonyn nhw wedi ei fagu ar gyflog cipar. Symudon nhw dipyn o le i le, a phob tro roedden nhw'n codi'u pac roedden nhw'n rhoi eu holl eiddo i gyd mewn trol efo ceffyl bach yn ei dynnu, a ffwr â nhw. Mi fuon nhw'n byw yn y tŷ sy 'nghlwm wrth Briordy Penmon am gyfnod, a Nain oedd yn gyfrifol am llnau'r lle a Nhaid yn gweithio fel cipar i deulu'r Buckleys ym Miwmaris.

Bu Nhaid farw wedi iddyn nhw symud i Frynsiencyn. Roedd fy nhad yn wyth oed ar y pryd. Chydig iawn soniodd o am ei gefndir, a byddai'n casáu dramâu o'r cyfnod yna, dyddiau cynnar yr ugeinfed ganrif; gormod o atgofion dwi'n meddwl. Dwi'n cofio iddo ddweud unwaith y bydda fo'n mynd ar draws y caeau i ambell fferm hefo Nain pan oedd hi'n mynd 'i olchi'r corff' cyn y claddu.

Bu Margaret Jane, un o chwiorydd fy nhad, yn gweithio ym Mhlas Newydd am gyfnod fel morwyn i'r Marcwis. Roedd 'na ryw hanner dwsin o forynion eraill o dan ei gofal, ac un diwrnod hi gafodd y cyfrifoldeb o drefnu'r arddwest yng ngerddi'r plas. Ar ôl rhoi cyfarwyddiadau i'r morynion eraill ynglŷn â'r paratoadau aeth adra i weld Nain gan gerdded o Lanfair-pwll i Frynsiencyn. Cyn iddi fynd yn ôl mi ddaeth yn law mawr a Nain yn trio'i gorau i'w pherswadio i beidio â mynd yn ôl drwy'r glaw, ond mynd wnaeth hi. Cerddodd yr holl ffordd yn ôl o Frynsiencyn i Blas Newydd, i sicrhau fod popeth yn iawn. Mae'n siŵr na wnaeth taith o bum milltir mewn tywydd garw les i'w hiechyd hi, ac ymhen ychydig amser bu farw o'r diciâu a hitha'n saith ar hugain oed.

Chwaer arall i Nhad oedd Anti Sidi. Dwi'n ei chofio hi fel dynes dal, denau, ll'gada brown, gwallt cyrls du, ac yn berson ofnus iawn. Roedd 'na reswm da pam hefyd gan ei bod hi'n byw efo gŵr oedd yn frwnt iawn efo hi. Un noson daeth galwad ffôn i Swyddfa Bost y Bryn o bentra ynghanol yr ynys i ddweud fod Anti Sidi yn cael ei cham-drin yn ofnadwy. Aeth Yncl Huw, Yncl George ac Yncl Wil draw yno i weld beth oedd yn digwydd. Doedd 'na ddim golau yn y tŷ o gwbwl, dim ond golau'r canhwyllau. Roedd y lle wedi cael ei sgrwbio'n lân gan gynnwys y llawr cerrig. Cuddiodd y tri tan i ŵr Anti Sidi ddŵad yn ôl i'r tŷ'n gweiddi ac yn feddw. Cafodd yntau ei drin y noson honno, dwi'n siŵr, fel roedd Anti Sidi wedi cael ei thrin ganddo fo laweroedd o weithiau. Daeth Anti Sidi yn ôl efo'i brodyr i fyw efo Nain Glan Braint nes buodd hi farw'n bum deg pedair oed, a bu Nain farw wythnos ar ei hôl yn wyth deg a phedair.

Mi soniais i mai'r cof cynta sydd gen i ydi'r nyrs yn tywallt olew poeth i mewn i fy nghlust i. Wel, y sŵn cyntaf dwi'n ei gofio oedd sŵn yr *air raid warning* adeg rhyfel yn rhybudd i bawb wisgo gasmasg. Dwi'n dal i gofio ogla rybyr y gasmasg fel roedd Mam yn ei dynnu o am fy ngwynab i, a wedyn yn gweiddi 'Tyd! Tyd!' a hitha a Nain yn rhedeg fel tasa nhw wedi dychryn, mewn panic. Rhedeg i'r twll dan grisia y bydden ni, lle roedd hi'n dywyll, dywyll. A phan oeddwn i'n hŷn, tua wyth neu naw oed, ac yn chwarae efo plant eraill ac yn clywed sŵn ambiwlans yn pasio, byddai'r sŵn hwnnw'n codi ofn arna i am ei fod o'n f'atgoffa fi, am wn i, o'r teimlad clawstroffobig o wisgo'r gasmasg a sŵn seiren yr ambiwlans a'r *air raid warning*.

Pan oeddwn i'n dair oed dwi'n cofio'r 'consart demob' yn yr Hen Ysgol. Festri eglwys y pentra oedd hi, a finna'n canu 'Dod ar fy Mhen' a 'Iesu Tirion' a Nhad ynghanol y dynion eraill oedd wedi dŵad yn ôl o'r rhyfel yn gwrando arna i. Mae'n rhaid mai hwnnw oedd y tro cynta i mi ganu'n gyhoeddus. Roedd Nhad wedi bod yng ngogledd Affrica a'r Eidal, ac wedi dŵad â breichled yn ôl i mi o'r Aifft, a phâr o fenyg gwlân mawr i Mam. Ond erbyn iddo fo ddŵad yn ôl, roedd y 'cricmala' wedi cael gafael ar Mam a fedrai hi ddim plygu ei bysedd i'w gwisgo nhw, felly mi gwerthodd hi nhw i Wil Shan, o Langaffo.

Dyn clên iawn oedd Wil, ond ychydig yn rhyfedd. Roedd o wedi mopio efo cowbois. Byddai'n mynd o gwmpas wedi ei wisgo fel *cowboy* go iawn. Fedra i ei weld o rŵan efo *stetson* ar ei ben, crys brown golau efo ffrinj, sgidia cowbois a throwsus golau, yn dŵad drwy'r pentra ar gefn ceffyl mawr fatha Roy Rodgers. Bob tro y byddai'n fy ngweld i, yr un fyddai'r cyfarchiad bob tro, 'Howdee, Maragarita' a finna'n ateb yn swil, 'Helô, Wil.'

'Dyddiau difyr'

Prin y basa Wil Shan yn adnabod Brynsiencyn heddiw.

> Pentref yn ne-orllewin Ynys Môn ym mhlwyf Llanidan
> ar y ffordd rhwng Llanfairpwllgwyngyll a Niwbwrch
> yw Brynsiencyn. O ganol y pentref mae ffordd arall yn
> arwain i lawr at Afon Menai, lle mae Sŵ Môr Môn.

Dyna'r wybodaeth gewch chi yn y llyfrau crwydro, ar wahân i
gyfeiriad at siambr gladdu Bodowyr a chastell Bryn-gwyn, ac
enwau enwogion y gorffennol, Robert ab Ifan, bardd ac uchelwr,
a John Williams, un o bregethwyr amlycaf Cymru oedd yn
annog ei phobol ifanc i fynd i ryfel yn 1916. Nid dyna'r darluniau
o Frynsiencyn sydd wedi'u serio ar fy nghof i ers dros saith deg
mlynedd bellach, ond yn hytrach darlun o bentra'n llawn bywyd a
chymeriadau; pentra a phobol a ddylanwadodd yn fawr arna i pan
oeddwn i'n hogan fach, a chyn i mi ddechrau canu geiriau Cynan
am y Nico yn hedfan i'r 'gogladd dros Frynsiencyn'. Tasa'r Nico
bach wedi oedi ar ei daith i nythu yng ngardd Glandŵr byddai
wedi gweld rhif dau, Terfyn Terrace, cartref Dad a Mam oedd
gyferbyn â thŷ Nain Arwel lle cefais i fy ngeni.

O ffenest llofft Terfyn Terrace y cwbwl welech chi oedd caeau
gwyrddion yn arwain i lawr at y Fenai. Ar ddiwrnod braf roedd

castell tref Caernarfon a mynyddoedd yr Eifl hefyd i'w gweld yn glir yn y pellter. Roedd fy nhad yn hen gyfarwydd â'r olygfa drawiadol yma er pan oedd o'n bedair ar ddeg oed ac yn gweithio yn chwarel Dinorwig. Byddai'n cychwyn o Frynsiencyn am hanner awr wedi pedwar yn y bore; fferi wedyn o Foel-y-don draw i'r Felinheli, a cherdded i'r chwarel. Treulio wythnos gyfan wedyn yn torri a hollti llechi drwy'r dydd a chysgu yn y Barics gyda'r nos. Mi fyddwn i'n rhedeg i'w gyfarfod o pan fyddai'n dŵad adra ar ôl wythnos waith ac yn ei helpu i dynnu'r sgidia hoelion mawr roedd o'n eu gwisgo. Dwi'n cofio Mam yn dweud, 'Paid byth â phriodi chwarelwr,' pan fyddai llwch o'i drowsus melfared dros bob man.

Pan fyddwn i'n mynd i Fangor am dro efo fy rhieni, roedd yn syndod i mi cymaint o bobol fyddai Nhad yn stopio bob hyn i gael sgwrs â nhw, a finna'n methu dallt sut oedd o'n nabod pawb. Ond wrth gwrs, hogia'r chwarel oedden nhw; roedd y rhan fwyaf o ddynion yn gweithio yn y chwarel y dyddiau hynny. Wedyn, pan fyddai Mam a finna wedi bod ym Mangor, mi fyddai Nhad yn gofyn efo gwên ar ei wyneb, 'Rhywun yn fy nabod i heddiw tua Bangor 'na, Margaret?'

Fy ffrind gora yr adeg yma oedd Josephine, merch i Meirwen oedd yn ei thro yn chwaer i Aled, a ddaeth yn rhan o'r ddeuawd boblogaidd 'Aled a Reg'. Treuliais oriau efo Josephine yn canu yn stafell ffrynt ei chartref, y Gegin Ddu. Yn y chwedegau roedden ni'n dwy, fel cannoedd o bobol eraill drwy Gymru, yn gwylio Yncl Aled a Reg yn canu am y 'Dyddiau Difyr' ar *Hob y Deri Dando,* un o'r rhaglenni cynharaf i mi ymddangos arnyn nhw fel cantores broffesiynol yn canu efo Ryan Davies. Mae teitl un o ganeuon Aled a Reg yn disgrifio fy mhlentyndod i ym Mrynsiencyn yng nghwmni Josephine i'r dim: 'Dyddiau Difyr'. Oedden, roedden nhw'n ddifyr dros ben.

Ond daeth coblyn o gwmwl dros ein byd bach diniwed braf pan oedden ni'n ddeg oed. Roedd Meirwen wedi bod mewn dosbarth gwnïo yn gwneud ffrog i Josephine, a'r noson honno aeth i fyny i'r llofft lle'r roedd hi'n cysgu hefo Josephine, ond wrth fynd i mewn i'r gwely mi ddisgynnodd yn anymwybodol. Aed â hi i'r ysbyty yn Lerpwl, ac yn ddychrynllyd o drist bu farw o diwmor ar yr ymennydd yn dri deg pedair oed.

Un o siopau mwya'r pentra oedd Bodlondeb, drws nesa i dŷ Nain. Roedd hi fel stordy anferth, wel, anferth i mi yn hogan fach, beth bynnag. Dwi'n cofio hufen iâ yn dŵad i'r siop am y tro cynta a *wafer* tair ceiniog, neu un chwech, yn cael ei dorri'n ofalus allan o floc o hufen iâ ar y cowntar: un i mi ac un i Nain. Byddai Nain yn ei fwyta fo, meddai hi, am ei fod o'n dda at bwysau gwaed uchel. Siop arall yn y pentra oedd Half Moon, siop grosar yn cael ei chadw gan deulu Carys, gwraig Arwel Hogia'r Wyddfa. Roedd 'na bwmp petrol y tu allan. Dwi'n tybio mai yn fanno y byddai fy nhaid yn rhoi petrol yn nhanc ei foto-beic, EY16, y moto-beic cynta i gael ei weld yn teithio ar lonydd culion Môn, yn ôl Aled. Roedd Aled yn ffrindia mawr â Nhaid, ac yn disgwyl iddo ddŵad adra o'i waith er mwyn cael reid tra oedd Nhaid yn mynd i barcio.

Ar y Sul mi fyddwn i'n mynd i Gapel Horeb, neu 'Capal Mawr' fel roedden ni'n ei alw fo - capel John Williams, Brynsiencyn. Yn fanno y cefais i'r cyfle i ddweud adnod yn y sêt fawr. Er na wyddwn i mo hynny ar y pryd, roedd sefyll yn hyderus a dweud adnod, 'I bawb gael dy gl'wad di', chwadal Mam, yn ymarfer da iawn ar gyfer wynebu cynulleidfaoedd yr eisteddfodau a'r neuaddau cyngerdd, ac yn wir y stiwdio deledu hefyd yn nes ymlaen. Ond rhaid i mi gyfaddef, doeddwn i ddim yn licio dweud adnod.

Diwrnod cofiadwy oedd y diwrnod y byddai'r ffair a'r syrcas yn dŵad i Frynsiencyn. Roedden ni'n lluchio peli pren at y coconyts ac wedyn yn mynd draw i'r stondin *Roll-a-Penny* a rowlio ceiniog i lawr darn pren triongol efo rhych yn ei ganol i drio cael y geiniog i orwedd ynghanol un o'r sgwariau efo rhifau arnyn nhw. Draw wedyn i gael *toffee apple* neu *candy floss,* a hwnnw fatha cwmwl o wading pinc ac yn blasu fel *Brillo pad* melys. Os oeddech chi'n prynu pacad o bowdwr lemonêd ac yn glychu'ch bys a'i sticio fo yn y powdwr a wedyn yn eich ceg, roedd eich bysedd chi'n troi'n frown fel tasa chi wedi bod yn smocio. Roedden ni'n arfar mynd i'r syrcas hefyd ac ista ar seti pren yn gwylio'r ceffylau'n mynd rownd a rownd, a chŵn yn gwneud triciau a dynion wedi gwisgo fel cowbois yn neidio ar gefn ceffyl ac yn sefyll yn y cyfrwy. Roedd Mam a Nhad wrth eu boddau efo syrcas, ond doeddwn i ddim yn licio gweld yr anifeiliaid yn gwneud triciau ac mi fyddai gen i ofn i un o'r clowns ddŵad i fy nôl pan oedden nhw'n dŵad allan i'r gynulleidfa. Byddwn yn gorfod mynd hefo fy rhieni i'r syrcas bob tro pan fydden ni'n mynd ar y trip ysgol Sul i'r Rhyl. Casáu!

Weithiau byddai 'na ddyn yn dŵad i'r pentra efo harmoniwm fechan iawn. Roeddwn i a fy ffrindia, Hilda, Helen a Jean wrth ein boddau efo caneuon fel 'I am H.A.P.PY.' a 'What a friend I have in Jesus', 'Jesus wants me for his Sunbeam' a chaneuon Sankey a Moody, caneuon hapus, ac mi fydden ni'n canu nerth ein pennau a mwynhau pob munud.

Roedd 'na ddynes yn y pentra yn gwneud dillad. Casi Jones oedd ei henw hi, ac mi ofynnodd Mam iddi hi wneud côt i mi. Dwi'n cofio i mi gael tynnu fy llun efo Mam a Dad wrth fynd heibio Woolworths Bangor yn y gôt. Dwi'n gwisgo sanau bach gwyn, sgidia du, a chôt lwyd Casi Jones, efo dau batrwm bach oren ar ei gwaelod hi. Yn y llun mae gen i gês miwsig yn fy llaw am fy mod i wedi bod am arholiad piano yn y Brifysgol. Roedd gan Casi

Jones ystafell go fawr yn y tŷ lle roedd hi'n gwneud y dillad 'ma, a lle byddwn inna'n cael sefyll ar fwrdd coffi yn ei gwylio hi'n rhoi pinnau yn y defnydd, ac yn peswch yn ysgafn wrth wneud.

Dwi'n cofio'r cyffro pan ddaeth tap dŵr i'r tŷ am y tro cynta. Cyn hynny roeddwn i wedi bod yn cario dŵr o bwmp mawr o 'lawr pant' mewn bwced yr holl ffordd i fyny'r allt yn ôl at y tŷ. Roeddwn i'n casáu gorfod gwneud hynny, ond roedd fy nhad yn y chwarel ac Albert yn was ffarm, felly dim ond fi oedd ar gael yn blentyn pump neu chwech oed. Roedd cael tap dŵr yn nefoedd. Ac wedyn daeth trydan. Roedd hynny'n fwy cyffrous fyth. Cyn hynny lampiau paraffîn oedden ni'n eu defnyddio, a chanhwyllau. Mi gafodd Nain Arwel *lampshade,* un degan efo golau y tu mewn iddi. Roedd hi'r peth ddela welsoch chi erioed.

Mae gen i gof mai tair oed oeddwn i'n mynd i'r ysgol, hen adeilad o oes Fictoria ac yn edrych fel pob ysgol gynradd arall o'r cyfnod, am wn i. Cefais fynd yn dair gan fod cryd cymalau Mam ar eu gwaetha bryd hynny, a chael bod yn nosbarth Miss Owen, dynes garedig a chynnes, a hynny am ddwy flynedd. Un tro aeth at Nain Arwel a dweud, 'Os byddwch chi'n penderfynu rywbryd nad ydach chi ddim isio'r hogan fach 'ma, mi cymra i hi.' Roeddwn i'n ei haddoli.

Fedra i weld yr ystafell ddosbarth rŵan. Byrddau bach a chadeiriau a phiano a lle tân mawr, stof fawr mewn gwirionedd, efo poteli llefrith o'i chwmpas hi'n c'nesu a Miss Owen yn sefyll wrth y stof yn c'nesu'i hun efo'i dwylo y tu ôl i'w chefn. Roedd y llefrith cynnes yn iawn i'w yfed, ond weithiau byddai'r llefrith yn oer ac yn rhewi'ch pen chi uwchben eich ll'gada, oedd yn fwy annioddefol hyd yn oed na sŵn sgrechian y bensal wrth i mi sgwennu ar ddarn o lechan efo ffrâm o bren o'i chwmpas hi.

Roeddwn i'n licio'r ysgol ac wrth fy modd yn canu, efo Miss

Owen yn chwarae'r piano a finna'n glynu'n sownd iddi. I'r un ysgol aeth Mam a Dad a chael eu dysgu gan athrawes arall, Miss M. M. Williams, oedd yn dal yno. Roedd Miss Williams yn gantores wych, wedi cystadlu yn yr eisteddfodau ac wedi ennill llawer iawn o wobrau. Byddai hi'n dysgu cerddoriaeth i ni, dysgu *notation* a dysgu sut i gadw rhythm hefyd, 'Ar fy ôl i: Ta ta-te ta ta-te ta ta ta. Miss Williams oedd fy athrawes ganu gynta. Dwi'n ei chofio hi'n dysgu i mi ganu 'O Lili Wen Fach' a 'Mae Mam Wedi Gadael y Tŷ ers y Bore', ac yn nes ymlaen 'Pwy yw Sylvia?' gan Schubert ar gyfer Eisteddfod Môn. Alto oeddwn i ac roedd 'na un nodyn gweddol uchel roeddwn i braidd yn amheus ohono fo. Es i adra at Mam a dweud na fedrwn i ddim cyrraedd y nodyn. 'Rhaid i chdi ddeud wrth Miss Williams na fedri di ddim cystadlu. Mae hi'n rhy uchal i chdi.' Pan glywodd Miss Williams hyn aeth hi draw i'r tŷ at Mam a dweud wrthi'n blaen, 'C'wilydd i chi, Luned. Ma'r hogan yn canu'n iawn.' Ac mae'n rhaid fy mod i'n 'canu'n iawn', achos cefais y wobr gynta o dan ddeunaw oed. Hon oedd y wobr fawr gynta i mi ei hennill ac roeddwn i'n dair ar ddeg ar y pryd. Morgan Nicholas, cyfansoddwr y darn enwog 'Cydganed Pawb', oedd yn beirniadu.

Roeddwn i wrth fy modd yn darllen llyfrau. Roedd 'na amryw o lyfrau darllen yn y tŷ, a chafodd Mam ei galw'n Eluned gan fod Nain yn darllen *Luned Bengoch* pan oedd hi'n feichiog. Ymysg y llyfrau roedd *Rhamant Plât y Pren Helyg* gan Hugh Brython Hughes, a'r cyflwyniad y tu mewn i'r clawr yn dweud 'Cyflwynwyd i Eluned Williams am ei ffyddlondeb yn casglu tuag at Genhadaeth Dramor y Methodistiaid Calfinaidd 1917' – roedd hi'n chwech oed! Cafodd lyfr arall: *Yn Oes yr Arth a'r Blaidd* gan T. Gwynn Jones, a hynny am gael anrhydedd yn '*Arholiad Safonol 1919 gan Ysgol Sabbothol Brynsiencyn*'.

Byddai Nhad yn dweud stori wrthyf yn y gwely cyn mynd i gysgu, neu'n ista ar ei lin o. Yr un un stori bob tro:

'Mi oedd 'na gi bach, ac roedd y ci bach yn mynd am dro, heibio'r capal a Siop Isa a Merddyn-gwyn. Ac mi fydda fo'n gweld Miss Jones yn Merddyn-gwyn, ac mi oedd hi'n dŵad â diod o ddŵr iddo fo, ac wedyn roedd y ci bach yn cerdded tuag at Waterloo, a rhyw dro roedd o wedi brifo ac mi ddaeth Mrs Robaitch allan a rhoi *bandage* am ei droed o, ac mi gafodd orffwys yno cyn mynd yn ei flaen heibio Bryndarian ac i fyny Lôn Ucha...'

...ac yn y blaen, ac yn y blaen. Doeddwn i ddim yn sylweddoli radeg hynny mod i'n dysgu enwau'r llefydd i gyd wrth glywed yr ailadrodd mor amal. Ar ôl cael y stori mi fyddwn i'n edrych allan drwy'r ffenest ar oleuadau Caernarfon cyn mynd i gysgu ac yn dweud, 'Wela i chi fory, Dad.' Byddai yntau'n dweud, 'Ia, wela i chdi fory', ac yn gorfod ychwanegu bob tro, hyd yn oed wrth ferch fach bedair oed fel fi, 'Os byw ac iach.'

Hilda, Helen a Jean oedd fy ffrindia gorau wedi i Josephine fynd i aros at Aled a'i wraig, Beattie am dipyn i Fangor. Roedden ni'n gwneud mistimanars fel dwyn fala, cnocio ambell i ddrws ond, wir, genod bach reit dda oedden ni ar y cyfan. Roedden ni'n ffrindia da hefyd efo David Morannedd. Roedd David a finna wrth ein boddau efo comics cowbois ac yn cyfnewid rhai'n rheolaidd: comics efo straeon am y cowbois Tom Mix, Hopalong Cassidy, Roy Rogers, Les Laroo, Gene Autry a llu ohonyn nhw. Roedden ni'n gwirioni'n lân.

Byddai'r genod a finna'n mynd i lawr i lan y môr yn yr haf, dyna oedd glannau'r Fenai i ni, 'Lan Môr Cei' a 'Lan Môr Llan'. Doedd neb byth yn sôn am 'Y Fenai', dim ond 'Lan Môr'. Roedd lôn gul o ryw filltir neu ddwy i fynd i lawr i Lan Môr Llan a dim ond ambell i fferm, hen eglwys y plwy, tŷ mawr arall a llwyn o'r enw Llwyn Cenel (neu Llwyn Cianal i ni) oedd ar hyd y ffordd. Roedden ni'n cael ein rhybuddio i beidio â mynd i'r llwyn, ond mynd fydden ni ambell waith. Roedd 'na hen hen dŷ cerrig yng nghanol y llwyn a llyn y tu ôl iddo ac mi fydden ni'n chwarae yn y tŷ a theimlo fel Hansel a Gretel. Dyn a ŵyr beth fyddai'n digwydd heddiw petai plant yn cael eu gadael i grwydro mor bell, ac i le mor unig.

Roedd Lan Môr Cei yn fwy, a phan fyddai'r llanw allan mi fyddai tywod bendigedig yn dŵad i'r amlwg, ac wrth gwrs roedden ni i gyd wrth ein boddau. Roedd y Mermaid Hotel reit ar y traeth gyferbyn â Chastell Caernarfon, yr ochor draw. Pan fydden ni'n mynd i lawr i'r traeth byddai Mam yn fy rhybuddio i beidio â mynd i mewn i'r dŵr achos roedd 'na hogyn o'r enw John Brewer, ffrind i Bryniog fy mrawd, wedi boddi yno. Ella mai dyna pam nad oeddwn i nac Albert yn medru nofio. Dwi'n cofio gêm fyddai rhai o'r bechgyn yn chwarae, sef taflu rhywun i'r dŵr a rhywun arall yn neidio i mewn i'w achub. Cefais fy ngwthio o'r cei un diwrnod a Bryniog yn neidio i mewn i fy achub. Roedd o mor flin efo'i 'fêts', achos pump oed oeddwn i ac yntau'n bymtheg.

O'r Cei Mawr roedd 'na stemar fach yn mynd drosodd i Gaernarfon, ond fyddai Mam byth yn mynd arni os oedd yna 'geffyla gwynion ar y môr', achos byddai hynny'n arwydd o dywydd stormus, meddai hi. Mi fuo ni drosodd arni er hynny fwy nag unwaith, ac roedd mynd allan ohoni yn ochor Caernarfon yn beryg bywyd i mi oherwydd doedd dim byd i afael ynddo, dim ond grisia i fyny i'r ffordd. Dwi'n meddwl i'r stemar fach orfod gorffen hwylio ddiwedd y pedwardegau.

Wedi i ni gyrraedd Caernarfon, mynd i'r farchnad fydden ni. Roedd hi'n farchnad anferth ar y Maes. Un o'r cymeriadau mwyaf lliwgar oedd Harry Cross y tu ôl i'w stondin lestri a'r rheiny wedi eu gosod ar ffurf hanner cylch mewn basged wellt. Byddai'n codi'r fasged i fyny a'i dal hi yn ei gôl ac yn gweiddi,

'Now then, who wants a bargain, a real bargain. It's a twentypiece dinner set, unless I drop it. Then it'll be a fortypiece dinner set. I'm not asking ten pounds. Not even five. I must be stark raving mad. All I'm asking today, ladies and gentlemen, is two pounds and I'll throw in a milk jug as well. Surely, ladies and gentlemen, you know a bargain when you see one'.

Oedd, roedd Harry Cross yn dipyn o gymeriad ac yn denu llu o bobol i'w glywed, prynu ai peidio.

Adeg y Nadolig byddai Josephine a finna'n mynd o gwmpas yr ardal yn canu carolau. Mi gasglon ni saith a chwech un Dolig a'i wario fo i gyd ar *fish* a *chips* a Vimto nes roedden ni'n swp sâl, mor sâl nes i ni'n dwy daflu i fyny a chael pryd o dafod ar ôl mynd adra. Un Dolig aeth criw ohonan ni i Plas Newydd at y Marcwis i ganu, ac mi gawson ni *elderberry wine* cartref i'w brofi. Dyna'r ddiod fwyaf afiach gefais i erioed, ond mi yfodd Josephine ei gwydraid hi a gorffan f'un i hefyd. Dwn i ddim sut oedd hi'n dal ar ei thraed.

Adeg y Pasg mi fydden ni'n mynd o gwmpas i glepian wyau. 'Clepian' fydden ni'n ei ddweud hefyd, nid 'clapio'. 'Clap Clap gofyn wy, hogia bach ar y plwy. Plis ga' i wy'. Mi roedden ni'n cael hanner dwsin o wyau gan Mrs Jones, fferm Rhwngyddwydre, rhwng Brynsiencyn a Dwyran, ac wedyn dau wy bob un gan Mrs Hughes, Bryn Drain. Y jôc oedd fod 'na ddigonedd o wyau ar ffrem Gegin Ddu, cartref Josephine, heb fynd i gerdded milltiroedd i chwilio amdanyn nhw. Ond roedd hi'n fwy o hwyl o lawer crwydro o gwmpas efo ffrindia'n clepio am wyau yn hytrach na'u cael nhw am ddim. Roedd 'na gywion bach bach melyn yn Gegin Ddu ac mi fydden ni'n chwarae efo'r rheiny, a dwi'n cofio gweld jac-do wedi marw, wedi cael ei bigo gan yr iâr am drio mynd â'r cywion bach oddi arni, am wn i. Mi gawson ni afael mewn llechen a sgwennu arni 'Er cof am Jac Do' a'i gladdu o.

Cartref Josephine oedd un o'r rhai cynta i gael teledu er mwyn gweld y *Coronation* yn 1953. Deuddeg oed oeddwn i ar y pryd. Chawson ni ddim teledu nes oeddwn i yn y coleg. A dwi'n cofio, cyn hynny, mynd i Gegin Ddu i weld Jack Payne efo'i fwstásh du yn cyflwyno artistiaid fel Joan Savage, Dennis Lotis ac Adele Leigh. Roeddwn i'n hoff iawn o Lita Roza, cantores boblogaidd iawn yn y pumdegau. Hi oedd yn canu ac yn gofyn 'How much is that doggie in the window?' Roedd Adele Leigh yn arwres i mi hefyd, efo'i chyfres ei hun, yn canu caneuon clasurol poblogaidd.

Weithiau fyddai'r weiarles ddim yn gweithio, a phan fyddai hynny'n digwydd mi fydden ni'n mynd i dŷ Anti Olwen i fwyta sgons a gwrando ar raglen recordiau Uncle Mack, oedd bob amser yn chwarae 'The Runaway Train went over the Hill and she blew, blew, blew, blew blew!' Wedyn roedd yn rhaid i mi gael *Family Favourites* bob Sul ar y *Light Programme*, efo Jean Metcalfe yn cyflwyno pob math o recordiau y byddai ceisiadau wedi dŵad amdanyn nhw, recordiau fel: 'I'll be Home' Pat Boone, a'r 'Green Door' Frankie Vaughan, 'I'll Walk with God' Mario Lanza…Ond hefyd byddai darnau fel 'All in the April Evening' Syr Hugh Robertson yn cael eu canu gan Gôr Glasgow Orpheus a Joan Hammond yn canu 'O Mio Babbino Caro' Puccini. Doedd ryfedd fy mod i'n gwrando'n astud bob pnawn Sul. Yr hwyl yn yr ysgol fore Llun oedd ceisio canu'r caneuon roedden ni wedi eu clywed ar y weiarles y diwrnod cynt.

Roedd amsar c'naea yn adeg pan fyddai'r pentra'n dŵad at ei gilydd i helpu efo'r gwair ar fferm Gegin Ddu. Roedd o'n gyfnod hapus braf, pan oedd yr hafau bryd hynny'n hir, yn felyn ac yn desog ac yn f'atgoffa i o'r rhaglen deledu *Darling Buds of May* efo Catherine Zeta Jones yn y nawdegau. Yng nghae Gegin Ddu roedd 'na felin wynt, ac yn amal pan fyddai pawb yn brysur efo'r gwair byddai Josephine a finna'n chwarae yn y felin. Dro arall mi fydden ni fwy na thebyg yn y sgubor, yn sefyll ar fainc yn canu deuawdau. Hyd yn oed bryd hynny mi fyddwn i'n awyddus i ni berfformio fel tasen ni o flaen cynulleidfa, ac os byddai Josephine yn chwerthin mi fyddwn i'n teimlo'n annifyr i gyd ac yn reit flin!

Roedd ganddon ni gynulleidfa hefyd, achos byddai Nain Arwel yn ista ar y wal yn gwrando arnon ni. Weithiau mi fydden ni'n mynd i'r tŷ bach ar waelod y llwybr i ganu. Roedd 'na le i ddwy ista ar sêt bren y toiled ac mi fydden ni'n treulio amser maith yno. Dwi'n cofio Mam yn dweud, 'Ddaw 'na ll'godan fawr a'ch brathu chi ryw ddwrnod.' Ond doedden ni ddim yn gwrando. Roedden ni wrth ein boddau yn ista yn y tŷ bach am oriau yn canu 'Daeth Iesu o'i Gariad i'r Ddaear o'r Nef', a chaneuon oedden ni'n eu canu yn y Côr Plant hefyd fel 'Ffarwel i'r Gwynt a'r Eira', 'Y Mae Afon', 'Cwsg, Lwli, Cwsg' ac 'Alawon y Bryniau'. Robert William Francis oedd arweinydd y côr ac roeddwn i'n canu efo'r altos, ac yn canu unawdau efo nhw hefyd.

Byddem yn cystadlu yn Eisteddfod Môn ac yn teithio mor bell â Dinbych i ganu. I mi roedd canu mor naturiol â cherdded. Cofiwch chi, pan oeddwn i'n canu unawd roeddwn i chydig bach yn nerfus cyn cychwyn, ond yn hollol hyderus tra oeddwn i wrthi. Felly fues i erioed drwy gydol fy ngyrfa broffesiynol hyd heddiw.

Mae'n wir i ddweud, fel cymaint o fy nghenhedlaeth i, fod fy myd i'n troi o gwmpas y capel a'r Ysgol Sul. Roedd Ysgol Sul fawr iawn yn y Bryn, a phan fyddai Cymanfa Blant Dosbarth y De o'r ynys yn cael ei chynnal bob blwyddyn mewn gwahanol gapeli ella y byddai 'na ryw bump o blant bryd hynny yn codi i adrodd eu hadnodau, mwy o Ysgol Sul Llanfair, ond byddai plant Ysgol Sul Capel Mawr bob amser yn ista yn y galeri o dan y cloc. Dwi'n gallu'n gweld ni rŵan, yn codi'n un haid yn ystod y Gymanfa yn adrodd ein hadnodau, yr hyn oedd yn ymddangos i ni fel pennod gyfa! Byddai te yn y festri wedi'r gwasanaeth – blymonj, fyddai'n gwneud i mi deimlo'n sâl, 'slab *cake*', un arall roeddwn i'n gasáu, brechdanau tomato ac wy, a the allan o glamp o debot mawr.

Mary Williams Penrhos Terrace oedd un o athrawon yr Ysgol Sul. Dwi'n ei chofio hi'n dŵad i'r Band of Hope a photel ganddi yn ei llaw ac yn ein rhybuddio ni yn erbyn y ddiod feddwol. 'Cofiwch chi am y diafol yn y botal!' meddai hi gan ddal potal gwrw wag yn yr awyr. 'Mae'r botal wedi gwneud difrod i gymaint o deuluoedd, ac os oes 'na rywun yn mynd i'r dafarn i yfed…' (ac roeddwn i'n gwybod fod fy nhad yn licio'i beint) '…cofiwch. Mae'r diafol yn y botal!' O, am deimlo'n hogan ddrwg! Byddai Nain a Taid wedi cymeradwyo'r ffaith fod Mary Williams yn siarad yn ddirwestol efo ni, er ein bod ni mor ifanc!

Dro arall cawsom ein rhybuddio yn erbyn peryglon tra gwahanol. Roedd y rhieni wedi gofyn iddyn nhw ddweud rhywbeth yn yr Ysgol Sul wrthon ni'r genod, er mwyn i ni 'fyhafio'. 'Cofiwch chi, genod', oedd y rhybudd, 'Ddaw 'na amser pan fyddwch chi efo rhywun ac isio gneud rhwbath…ond meddyliwch chi'r amser hynny am eich mam a neith hynny'ch cadw chi'n saff.' Ond o leia roedd o'n well na chyngor fy nhad. Dwi'n cofio pan oeddwn i tua thair ar ddeg oed, a Mam yn sicr o fod wedi gofyn i Nhad gael gair efo fi am hogia a charu a rhyw. A dyma sut fydda fo'n mynd ati, byth yn edrych arna i, bob tro yn edrych ar Mam a dweud, 'Luned! Os digwyddith rhwbath i'r hogan 'ma, mi luchia i'n hun i lawr o dop Pont Borth.' Dyna oedd y wers rhyw! Chwarae teg iddo fo, doedd ganddo fo'r un syniad na'r eirfa chwaith i drafod y cwbwl hefo fi, ac yn bendant fyddai Mam byth yn medru – roedd hi'n rhy swil o lawer. Dwi wedi chwerthin llawer iawn wrth feddwl amdano fo'n mwydro'n lân wrth drio bod yn 'dadol'.

Lle tawel oedd Brynsiencyn yn ystod yr wythnos, ac yn dawelach fyth ar ddydd Sul. Tra oedd Nain Arwel yn fyw doedden ni ddim yn cael gwneud dim byd ar ddydd Sul. Dim yw dim, ar wahân i chwarae'r piano a mynd allan am dro. Chaen ni ddim darllen na gwau na gwnïo, ac yn sicr doedd neb yn golchi dillad. Roedd Nain yn gweddïo'n ddyddiol, yn darllen ei Beibl, yn mynd i'r capel yn rheolaidd ac yn daer yn erbyn y ddiod. Roedden ni'n cael rhoi'r radio ymlaen, ond dim ond i wrando ar *Caniadaeth y Cysegr* a'r bregeth.

Byddai Mam, Nain, Bryniog a fi yn ein sêt capel ar y Sul: byddai Albert yn mynd i'r eglwys hefo Nhad. Emyn fyddwn i'n ddweud ran amla gan mod i'n gwybod cymaint ohonyn nhw, ac felly ddim yn gorfod mynd ati i ddysgu. Un pen i'r sêt fawr roedd Selwyn Siop Isa yn sefyll yn barod i adrodd llith o adnodau a finna'r pen arall efo fy mhennill, a nhroed wedi mynd i gysgu, methu disgwyl iddo fo orffen. Byddai Helen bob amser yn adrodd, 'Dal fi, fy Nuw, dal fi i'r lan', a finna ran amla efo 'Anturiaf ymla'n drwy ddyfroedd a thân, Yn dawel yng nghwmni fy Nuw, Er gwanned fy ffydd, enillaf y dydd, mae Ceidwad pechadur yn fyw.' Hyd heddiw dwi wrth fy modd efo'r emyn yna.

Dyna i chi laddfa i hogan fach oedd y Cyfarfodydd Pregethu. Pregeth yn y bore, pregeth yn y pnawn a dwy bregeth yn y nos!

Doeddwn i ddim yn licio pregethwyr oedd yn mynd i hwyl ac yn dechrau'r diwn gron. Roedd rhai ohonyn nhw'n rhoi'r argraff eu bod nhw'n dŵad i ddiwedd yr hyn oedd ganddyn nhw i'w ddweud, eu lleisiau nhw'n dechrau arafu, yn ara, ara deg bach. Byddwn yn disgwyl yr 'Amen', ond yn sydyn reit, roedden nhw'n cael ail wynt o rywle ac yn ailafael ynddi. O, Mam bach!

Dwi'n cofio un pregethwr, Idwal Jones, Llanrwst, awdur y gyfres radio boblogaidd *SOS Galw Gari Tryfan*, yn mynd i gymaint o hwyl, mi ganodd o bennill cyfan o 'Hen Rebel Fel Fi' yn ystod ei bregeth. Roedd hynny'n bleser pur i ni i gyd. Wrth gwrs, actorion oedd yr hen bregethwyr. Y pwlpud a'r set fawr oedd eu llwyfan nhw ac roedden nhw'n gwybod sut i hoelio sylw eu cynulleidfa.

Dwy o wragedd mwyaf nodedig y pentra oedd Gwyneth Jones, oedd yn gweithio efo'r deillion yng Nghaernarfon a Helen Jones, oedd yn athrawes yn Dwyran. Roedd Gwyneth tua'r un oed â Mam, a Helen chydig yn hŷn. Doedd yr un o'r ddwy wedi priodi. Roedden nhw'n dŵad i'r capel mewn cotia mawr a ffwr dros y golar ac ogla sent dros y lle. *Glamorous* ofnadwy! 'O! Toes gan y genod ma sioe', fyddai geiriau Mam reit ddistaw. Ond roeddwn i wrth fy modd achos roedd y persawr yn rhywbeth moethus iawn i hogan ifanc. Roedd y ddwy'n chwarae'r organ yn y capel, ond doedden nhw ddim yn dŵad i'r capel yn rheolaidd, a phan nad oedden nhw yno, hwnnw fyddai fy nghyfle i. Ond roedd Mam, oedd yn gyfeilydd ei hun wrth gwrs, yn hoffi dweud, 'Tydi Helen Jones ddim yn medru Sol-ffa, sti, dim ond hen nodiant.' Byddai Yncl William, oedd yn codi canu, yn galw arna i chwarae'r organ ac mi fyddwn i wrth fy modd. Cefais fod yn organydd ymhen amser efo'r cyfeilyddion eraill, Mrs Mair Parry a John Alun.

Helen a Gwyneth Jones oedd yn gofalu am Ddrama'r Geni yn y capel a hefyd nosweithiau fel noson ola'r flwyddyn. Pan oeddwn i tua wyth oed roedden nhw wedi trefnu gwylnos yn 'Rhen Ysgol, sef festri'r eglwys. Roeddwn i'n cael canu cân fach yn yr wylnos a byddai gwahanol eitemau gan eraill, ac yna am bum munud i hannar nos roedd gwraig hyna'r pentra, Elin Huws, Pencraig, wedi'i gwisgo mewn du i gyd yn cerdded ar draws y llwyfan i gynrychioli'r hen flwyddyn. Wrth iddi hi ddiflannu byddai Alwen, merch fach chwech oed brydferth dros ben (oedd yn canu yn y grŵp Blodau'r Ffair ymhen blynyddoedd), yn camu i'r llwyfan wedi'i gwisgo mewn gwyn i gyd i groesawu'r flwyddyn newydd. Dwi'n cofio'r nosweithiau yma'n dda, yn rhannol am fy mod i'n cael aros allan yn hwyr a chael dawnsio fel y genod hŷn. Roedd gen i bartner arbennig iawn hefyd, Bryniog fy mrawd, oedd yn ddeunaw oed. Ar ddiwedd y noson mi fydden ni'n cerdded yn ôl efo Nain a ficar yr eglwys a chyn-chwarelwr, Mr Morgan.

Ficar y Plwy oedd Mr Cooke. Dyn clyfar iawn oedd Mr Cooke, yn siarad Groeg a Lladin. Yn ôl llawer ddylia fo ddim bod yn ficar ym Mrynsiencyn achos doedd 'na neb yn dallt yr un gair roedd o'n ei ddweud. Wedi'r cwbwl, doedd ganddyn nhw fawr o Saesneg, heb sôn am Roeg a Lladin.

Ar wahân i fod yn amlwg iawn yn y capel roedd Helen a Gwyneth Jones yn weithgar mewn ffyrdd eraill hefyd. Roedden nhw ymhlith y rhai cynta i ymuno â'r Urdd, yn ffrindia mawr â Syr Ifan ab Owen Edwards, ac roedd ganddyn nhw lun ohonyn nhw efo Syr Ifan ar y piano. Mi sefydlon nhw gangen o'r Urdd yn y pentra. Erbyn i mi fod yn ddigon hen i ymuno â'r Urdd roedd 'na lai o weithgareddau, ond roedden nhw'n dal i gynnal nosweithiau dawnsio gwerin. Dwi'n cofio i mi, Hilda, Helen a Jean fynd i'r aelwyd i ddawnsio a chael ein dewis i fynd yr holl ffordd i Gorwen i dwmpath dawns efo Gwyn Williams BBC

25

Bangor yn galw. Yn nes ymlaen roedd 'na ryw Mr Ford yn cynnal gwersi dawnsio *ballroom*. Roeddwn i tua phymtheg oed erbyn hyn ac wrth fy modd efo'r dawnsio. Felly, rhwng y dawnsio a'r côr, y capel a'r cwmni drama roedd 'na ddigon o bethau'n digwydd ym Mrynsiencyn.

Emyr Caradog, dyna enw un o'r dramâu y cymerais i ran ynddi hi yn y pentra. Ond yr unig beth dwi'n ei gofio am y cynhyrchiad oedd Cledwyn 'Rhen Refail yn dŵad i'r llwyfan yn cario cwpan a soser, a'r gwpan yn ysgwyd cymaint yn y soser nes i'r te fynd i bobman, roedd o mor nerfus. Wrth gwrs, mi fuo rhaid i mi chwerthin yn wirion er mod inna'n ddigon nerfus hefyd, a rhywun wedi rhoi rhyw fath o golur ar fy ngwynab i nes oeddwn i fel pelan o haul poeth, ac roeddwn i'n gallu gweld rhai o'r gynulleidfa'n chwerthin am ben hynny hefyd.

Daeth dau o berfformwyr poblogaidd teledu du a gwyn, sef Al Roberts a Dorothy i berfformio i'r capel: Al yn gwneud triciau a Dorothy yn creu lluniau anhygoel allan o ddarnau o ffelt. Yn ddiweddarach daeth Sassie Rees i'r pentra i ganu a chefais ei llofnod. Roedd hi'n un o sêr y weiarles a'r teledu. Ar ôl clywed Sassie yn canu mi anfonais i at y BBC a gofyn am gais i glywed Sassie Rees yn canu am y band. Ac mi wnaeth hi hefyd. Roedd hynny'n wefr. A phwy feddyliai y byddai'r hogan fach oedd yn edrych ar Sassie, ac Al Roberts a Dorothy, yn gweithio efo nhw ymhen blynyddoedd ac yn dangos y llofnod i Sassie pan oeddwn yn ei dathliad pen-blwydd yn naw deg oed.

Roedd cyfnod fy mhlentyndod ifanc yn hapus iawn, ond un dydd Sul roeddwn i yn nhŷ Josephine yn y parlwr ffrynt yn chwarae'r piano a Josephine yn canu pan ddaeth Nain Josephine i mewn, 'Well i chi stopio', meddai hi a dweud wrtha i, 'Tydi Nain ddim yn dda iawn.' Roeddwn i'n gwybod yn syth fod rhywbeth o'i le. Bu Nain farw ar Sul y Blodau 1952 pan oeddwn i'n un ar ddeg oed ac ar fin mynd i'r ysgol fawr, Ysgol Biwmaris. Roedd Nain Glan Braint hefyd wedi'n gadael ni ddwy flynedd ynghynt. Tro ar fyd.

Yn fy mlwyddyn olaf yn Ysgol Bryn aethon ni am drip ar y trên o Fangor i Fae Colwyn i'r theatr i weld pantomeim. Hwn oedd y tro cyntaf i mi weld cwmni proffesiynol yn perfformio, a doedd ista yn y theatr foethus ym Mae Colwyn ddim gwahanol i'r profiad ymhen rhai blynyddoedd o fod yn y Palladium yn Llundain. Dwi'n cofio'n iawn gweld y ferch ddel 'ma'n dwad ar y llwyfan yn ei theits, wedi ei gwisgo fel y *principal boy* ac yn dechrau canu. Fel arfer mewn pantomeim dyma pryd y bydd y plant yn dechrau gwneud sŵn yn bwyta creision a phethau da ac yfed lemonêd. Dwi'n gwybod yn iawn. Dwi wedi bod yno fy hun mewn sawl panto. Ond be wnes i'r adeg hynny oedd codi a sefyll gan syllu i fyny ar y ddynes 'ma'n canu, efo het fawr liwgar ar ei phen. Fedrwn i ddim stopio edrych arni hi a meddwl, 'Ww, braf arni hi.'

Roeddwn i bob amser y cynta neu'r ail yn yr arholiadau dosbarth drwy'r ysgol fach. Cyn i mi fynd i Ysgol Biwmaris roedd yn rhaid i mi sefyll yr *eleven-plus,* a phasio. Wedyn, roeddwn i'n codi'n gynnar bob bore tua chwarter wedi saith ac yn gwisgo fy iwnifform: *gymslip* a blows a *blazer,* efo bathodyn yr ysgol ar boced y *blazer.* Un a gefais ar ôl Bryniog oedd y bathodyn, ac roedd deng mlynedd er pan oedd o yn yr ysgol! Doeddwn i ddim yn licio hynny na'r ffaith fy mod i'n gwisgo ei hen dei o chwaith. Chefais i ddim sgarff, wel, nid un go iawn, dim ond un wedi'i gwau adra. Ond o leiaf roedd gen i fag ysgol go iawn, bag lledr, wedi ei brynu ym Mangor mewn siop dau ddrws i lawr o Woolworths.

Er bod Mam wedi cael help gan Anti i dalu am y wisg, doeddwn i ddim yn meddwl amdanaf fy hun yn dŵad o deulu tlawd, achos roedd 'na gymaint yn yr un sefyllfa â ni, ac yn ei chael hi'n anodd i ddal dau ben llinyn ynghyd. Roedd pob ceiniog roeddwn i'n ei hennill yn y steddfodau a chyngherddau'n mynd tuag at fy hyfforddiant lleisiol, copïau canu, teithio, tâl mynediad, bwyd, a'r llu o bethau eraill roedd ar rywun eu hangen. Dwi'n cofio'r papurau'n disgrifio fy llwyddiant i yn Eisteddfod Llanddeusant unwaith fel 'Field Day'. Roeddwn i wedi ennill pum gwobr gynta, oedd yn naw punt. Roedd hwnnw'n mynd i Mam, ac yn help garw at 'yr achos'.

Pan oeddwn i'n un ar bymtheg oed cefais gyfle i ganu ar TWW – Television Wales and the West – yng ngwanwyn 1958, reit ar ddechrau TWW. *Orig yr Ifanc* oedd enw'r rhaglen a'r cynhyrchydd oedd Havard Gregory. Dyna i chi fusnas drud oedd mynd ar y teledu. Roedd angen pres ar gyfer y trên i Mam a finna o Fangor i Gaerdydd, pres i dalu am westy dros nos, tacsi i fynd â ni i'r gwesty, tacsis wedyn yn ôl a mlaen i'r stiwdio ym Mhontcanna, talu am fwyd ... Roedd yn rhaid i Nhad fenthyg y pres, ac wedi i mi gael fy nhalu am ganu mi dalwyd y ddyled yn ôl, ac roedd 'na dipyn bach dros ben hefyd. Cawsom lifft adra gan Frank Price Jones, oedd yn cyflwyno'r rhaglen roeddwn i'n ymddangos arni. Roedd o'n byw ym Mhorthmadog ar y pryd, ond chwarae teg iddo fo, mi aeth â ni yr holl ffordd i Sir Fôn, a finna'n stopio'r car i fynd yn sâl bob munud, druan ag o.

Doeddwn i ddim yn mwynhau'r daith o Frynsiencyn i Fiwmaris o gwbwl, wel, ddim ar y dechrau achos roeddwn i'n mynd yn sâl wrth fynd rownd y corneli. Bu'n rhaid i'r bws stopio fwy nag unwaith i mi gael mynd allan a thaflu i fyny, a tydi hynny fawr o hwyl am chwarter wedi wyth y bore.

I hogan o Frynsiencyn roedd y newid o ysgol Gymreig a Chymraeg Brynsiencyn i ysgol Seisnig Biwmaris yn anodd. Roeddwn i'n colli cwmni Josephine, fy ffrind gorau, achos roedd hi'n aros yn Ysgol Bryn am flwyddyn arall, ac roedd awyrgylch yr ysgol yn hollol wahanol. Er bod y rhan fwyaf o'r athrawon yn medru siarad Cymraeg, roedden nhw'n dewis siarad Saesneg. Wyddwn i ddim erioed fod Mr Jones Latin yn medru siarad Cymraeg. Ac mi roedd Mr Griffiths Cemeg, neu 'Winks' i roi ei enw arall arno fo, yn waeth fyth; mi fyddai'n gafael yn ei glogyn o gwmpas ei sgwydda, yn edrych arnon ni'n gas gydag, 'I beg your pardon?'. Roeddwn i'n wir ei ofni o, er na ddywedodd o 'run gair wrtha i rioed. Mi fyddwn i'n gofalu ista tu ôl i rywun tal yn y wers Cemeg rhag iddo ddal fy llygaid, achos doedd gen i mo'r syniad lleia beth oedd o'n drio'i wneud yn y wers. Roedd y *Bunsen burner* efo rhyw liw glas arno'n ddigon i godi ofn ar unrhyw un. Doeddwn i ddim yn disgleirio yn y pwnc, a chefais ddeg allan o gant unwaith yn yr arholiad Cemeg, a'r deg am ysgrifen daclus!

Pan fyddai Mr Jones Latin yn dŵad i mewn i'r dosbarth, y peth cynta fydda fo'n ei wneud wrth ddŵad drwy'r drws oedd gweiddi 'Shut up' nerth ei ben – roedden ni'n ddosbarth swnllyd iawn, mae'n rhaid! Byddai Miss Johnson Daearyddiaeth hefyd yn cael trafferth hefo ni, a bod yn deg gwraig o Bolton oedd hi, ac yn ogystal â bod yn Saesnes roedd ei Saesneg yn wahanol i'r mymryn roedden ni'n ei wybod, felly roedd hi'n anodd ei dallt hi'n siarad. Ond o leia roedd llond ceg o Gymraeg gan Mr John L. Williams, sy'n ddim syndod, gan mai fo oedd yr athro Cymraeg ac yn Gymro i'r carn.

Cefais fy newis yn gapten y tŷ ym mabolgampau'r ysgol. Dwn i ddim pam, achos doeddwn i ddim yn dda efo chwaraeon o gwbwl. David Morannedd oedd capten y bechgyn. Roedd David yn arbennig o dda, yn enwedig fel pêl-droediwr. Bu'n chwarae pêl-droed yn broffesiynol am gyfnod ar ôl gadael yr ysgol. Dwi'n cofio teimlo'n euog pan oedden ni'n dau'n gafael yn y darian ar ôl i'n tŷ ni ennill y mabolgampau, a'r unig beth roeddwn i wedi'i wneud oedd yr wy ar lwy! Cystadlu ar lwyfan a pherfformio mewn cyngherddau oedd fy mhethau i. Felly, pan oedd hi'n ddiwrnod Steddfod Ysgol roeddwn i'n gwneud mwy o gyfraniad o lawer ar y llwyfan nag oeddwn i ar y cae chwarae, ac yn ennill am ganu caneuon fel 'Bara Angylion Duw', 'Y Gleisiad', 'Mae Mam am i mi Rwymo Ngwallt'. Mi fyddwn i hefyd yn canu deuawdau efo fy ffrind Ann Williams neu Alwen Owen, y ddwy o'r Bryn, a hefyd efo Elizabeth o Landegfan. Roedd Elizabeth yn yr un tŷ â finna, ond mewn eisteddfodau o gwmpas y wlad mi fyddai hi a'i chwaer yn enwog fel Elizabeth a Nora.

Dwi'n cofio cael ci bach am ganu 'Bara Angylion Duw' unwaith, ci bach go iawn, ar ôl i Nhad ddweud wrth ddoctor o'r Borth, pan oedd Nhad yn gweithio yno fel tipyn o 'handi man', fy mod i'n canu. Trefnodd y doctor noson i'w ffrindia yn ei dŷ, ac es i draw a chanu nifer o ganeuon. Ymhen pythefnos, fel anrheg am ganu, cefais gi bach Pekinese ganddo fo. Roedd o'n bridio'r cŵn yma, a bedyddiwyd y ci yn Mee Thoo gan y doctor, ond roedd fy ffrindia a finna'n meddwl mai Me Too oedd o. Byddai Mee Thoo yn ista'n ddel ar y bwrdd yn y parlwr ffrynt mor llonydd nes gallech daeru mai ornament bach oedd o. Mi fuo fo efo ni am flynyddoedd, ac wedi i mi briodi a symud i'r de byddai'n cael dŵad i Gaerdydd bob tro pan fyddai fy rhieni'n dŵad i lawr.

Pan oeddwn i'n bedair ar ddeg oed roedd Morgan Nicolas wedi rhoi'r wobr gynta i mi yn Eisteddfod Môn am ganu 'Pwy yw Sylvia?' dan ddeunaw oed, ac mi awgrymodd y dylwn i gystadlu am ysgoloriaeth i fynd i'r coleg cerdd ym Manceinion. Ac felly y bu hi. Aeth Mam efo fi ar y trên i Fanceinion i gael cyfweliad gan bennaeth y coleg, Frederick Cox. Dim ond fo, fi, a'r piano.

'Right, Margaret. Can you play the scale of G in chords?'
Ar ôl i mi wneud, dyma fo'n gofyn,
'Do you go to chapel?'
'Yes,' meddwn inna.
'Yes, I thought so. I can hear the hymns.'
Wedyn mi 'nes i ganu 'Bara Angylion Duw', 'Pwy yw Sylvia?' a 'There was a lover and his lass.' Roeddwn i'n cael y teimlad fod Frederick Cox wedi'i blesio, a dywedodd ei fod o isio i mi ddŵad i'r coleg am bedair blynedd i ddilyn cwrs canu a chwrs i fod yn athrawes. Bryd hynny, dyna oedd y ffordd o feddwl. 'Os wyt ti am fynd yn gantores, mae'n well i ti neud diploma dysgu i chdi gael rhywbeth wrth gefn.'

Gwrthododd pwyllgor addysg Cyngor Môn roi grant i mi gan fy annog i aros am ddwy flynedd arall. A finna ond yn un ar bymtheg oed roeddwn i mewn gwirionedd yn rhy ifanc o lawer i fynd i fyw i Fanceinion ar fy mhen fy hun. Yr hyn oeddwn i isio, a dweud y gwir, oedd cael canu ar y BBC. Doeddwn i'n wir ddim yn meddwl dim pellach na hynny. Ond roedd Nhad yn wyllt gacwn. 'Dyna fo. Who you know ydi hi.' oedd ei ymateb i benderfyniad y Cyngor. Ond faswn i'n synnu dim nad oedd o a Mam yn falch, yn dawel bach. Wedi'r cwbwl, roedd taith ar fws o Frynsiencyn i Fiwmaris yn bell y dyddiau hynny, heb sôn am fynd yr holl ffordd i Fanceinion. O edrych yn ôl, ar y naill law, ella fod popeth wedi gweithio er lles, ond ar y llaw arall, pwy a ŵyr i ble baswn i wedi mynd o'r coleg. Ond dyna fo, mae hi braidd yn hwyr i feddwl am bethau fel 'na rŵan, a dwi wedi bod yn hapus iawn fy myd.

Pennod 3

'Mynd o Steddfod i Steddfod'

Dau beth dwi'n eu cofio am 1956 a finna'n bymtheg oed oedd *Sêr y Siroedd* ar y radio a Nhad yn gorfod mynd i'r ysbyty am eu bod nhw'n meddwl fod ganddo fo TB. Mi fuodd o yn y Sanatorium yn Llangwyfan am chwe wythnos. Roedd pres yn brin iawn bryd hynny achos dim ond dwy bunt yr wythnos o bres insiwrans roedd Dad yn ei gael am bedair blynedd. Bu Mr Francis, arweinydd y côr plant, yn garedig iawn yn talu i ni fynd ar fws i weld Nhad, a thalai hefyd am wersi canu i mi efo Mrs Sykes Jones ym Mangor. Ffeindiwyd mai cysgod oedd gan Dad ar ei ysgyfaint ac nid TB y pryd hynny. Ond cafodd TB yn yr wythdegau, a'r tro hwnnw roedd o mewn *isolation ward* yn Ysbyty Eryri, Caernarfon, am dair wythnos.

Gweld hysbyseb yn y papurau wnes i yn dweud fod y BBC yn chwilio am dimau o bob sir yng Nghymru ar gyfer cyfres radio o'r enw *Sêr y Siroedd*, efo'r clyweliadau yn Llangefni. Es i yno efo Josephine. Roedden nhw'n chwilio am adroddwyr digri a grwpiau, pobol i ganu'n unigol, unawdwyr cerdd dant… Roeddwn i'n cael fy meirniadu gan Islwyn Ffowc Elis a Cassie Davies. Es i drwadd ar yr unawd. Ymhlith y rhai eraill aeth drwadd roedd Hogia Bryngwran ar y grŵp, Charles a Clarence ar y ddeuawd, ac Elwyn a Glyn ar yr adrodd digri. Roedd Glyn yn cael ei adnabod fel Glyn Pensarn ac yn actor poblogaidd iawn yn ei ddydd ar y teledu ac ar lwyfan. Dilynodd ei feibion, Dewi a Yolande, eu tad i fyd y ddrama – Dewi fel golygydd sgriptiau a dramodwr a Yolande fel y cymeriad 'Teg' yn yr opera sebon *Pobol y Cwm*. Roedd Elwyn a Glyn fel Morecambe and Wise, yn *double act* poblogaidd iawn, ac fe syfrdanwyd yr ynys pan fu farw Elwyn yn annisgwyl mewn damwain hofrennydd.

Dwi'n cofio mynd efo Idris, aelod o Hogia Bryngwran, i'r pictiwrs ym Mangor, ac wedyn cerdded i lawr drwy erddi'r eglwys gadeiriol i ddal y bws deg munud wedi wyth.

'Faint ydi d'oed di, Idris?'

'Dwi'n *twenty six*.' (O Mam bach, HEN!)

'Faint wyt ti?'

'*Sixteen*.'

'*Sixteen*?!'

Wel, os oeddwn i wedi cael sioc, roedd Idris wedi cael un fwy! A dyna ddiwedd ar y garwriaeth cyn ei chychwyn! Doeddwn i ddim yn ferch hyderus o gwbwl ynglŷn â sut oeddwn i'n edrych. Dwi rioed yn cofio fy rhieni'n dweud fy mod i'n ddel. Dwi'n meddwl, yn eu tyb nhw, fod hynny'n ffordd o fy ngwarchod i rywsut. Roedd gen i *freckles*, a dwi'n cofio Mam yn gwneud jôc fach drwy dynnu sylw atyn nhw, 'O, drychwch ar y brychni haul sgin yr hogan 'ma', ac wedyn, taswn i'n digwydd rhedeg i rwla, 'Tydi'r hogan 'ma'n dindrwm!' Dwi'n chwerthin wrth gofio am hyn i gyd.

Mi fues i'n ddigon ffodus i fod yn rhan o dîm Sir Fôn yng nghystadlaethau *Sêr y Siroedd* ar y radio trwy gydol y pedair i bum mlynedd y cafodd ei ddarlledu, a'r gyfres olaf yn 1961 yn cael ei throsglwyddo i'r teledu, BBC Cymru bryd hynny.

Doedd cerddoriaeth ddim yn bwnc ar yr amserlen ym Miwmaris, felly aeth Mam â fi at y Cynghorydd Willi Jones y Post i gwyno, achos roeddwn i isio gwneud cerddoriaeth Lefel

O a byddai hynny'n golygu gwneud *theory* a hanes cerddoriaeth hefyd. Ond y cwbwl oedd yn digwydd yn y gwersi cerddoriaeth oedd canu. Wedi i Willi Jones godi'r pwnc efo'r Pwyllgor Addysg yn Llangefni, pasiwyd y byddwn i a merch arall yn cael mynd i ysgol Llangefni am wers gerddoriaeth unwaith neu ddwy yr wythnos! Ar ôl pythefnos o hyn, penderfynwyd nad oedd yn gweithio. Roedd y daith o Fiwmaris i Langefni bryd hynny'n cymryd rhyw dri chwarter awr efo'r dreifio araf, wedyn hanner awr o wers a'r daith yno – bron nad oedd hi'n amser mynd adre erbyn hynny. Yn y pen draw dywedwyd y basan nhw'n trefnu gwersi cerddoriaeth i mi am saith a chwech y tro. Ond doedd Mam ddim yn medru fforddio hynny'n ychwanegol at y gwersi canu a'r gwersi piano. Wrth lwc, y flwyddyn ganlynol roedd 'na fwy o ddisgyblion yn gofyn am gael sefyll arholiad mewn Cerddoriaeth ac mi gawson ni wersi.

Dwi'n cofio gofyn i Mr Bacon, 'Can I do some Harmony, sir?' ac ynta'n dweud, 'You can't do harmony in a year, darling.' Ond mi 'nes i waith pum mlynedd mewn blwyddyn a phasio. Roeddwn i'n hogan reit benderfynol. Os oeddwn i isio rhywbeth, ac yn bwysicach fyth yn meddwl y byddwn i'n llwyddo, yna mi fyddwn yn mynd ar ei ôl o.

Er mai dim ond un ar bymtheg oeddwn i, roeddwn i'n rhoi gwersi canu fy hun i unrhyw un oedd am gystadlu yn y steddfodau lleol. Roedd dysgu yn dŵad yn naturiol i mi. Ella mai dyna pam es i'n athrawes yn nes ymlaen. Y cwbwl fyddwn i'n ei wneud yn y gwersi oedd dweud wrthyn nhw beth oedd Miss Willias wedi'i ddweud wrtha i pan oeddwn i'n hogan fach yn Ysgol Bryn. Daeth 'na hogyn annwyl ata i efo llais *boy soprano* swynol iawn. Roedd o'n aelod o *Concert Party* Bodffordd. Mae 'na dipyn o ddŵr wedi mynd o dan y bont ers hynny. Sgwn i be ddigwyddodd i Alwyn Humphreys?!

Cefais dipyn o lwyddiant efo un o fy nisgyblion, Janet Sgubor Fawr. Roedd ei thad yn un gwyllt, ac yn colli'i dempar yn hawdd. Dwi'n cofio mynd i Eisteddfod yr Urdd efo Janet i gystadlu a'i thad yn dŵad efo ni. Roedden ni eisoes wedi bod yn cystadlu yn y rhagbrofion ar y siarad cyhoeddus ac wedi cyrraedd y neuadd braidd yn hwyr. Doedd y dyn wrth y drws ddim am ein gadael ni i mewn, nes i dad Janet weiddi yn ei wynab o, 'Paid ti â rhoi dy droed yn erbyn y drws, y diawl mae Margaret Bryn efo ni!' O, brenin, cywilydd! Roeddwn i'n goch i gyd, ond mi gawson fynd i mewn, ac mi enillodd Janet hefyd.

Un arall dwi'n ei gofio'n dŵad acw i ymarfer 'Dyma gariad fel y moroedd' ar gyfer Steddfod Llanddeusant oedd John Gwynne (John Banc). Roedd John Gwynne yn dipyn o seren ym Mrynsiencyn adeg y rhyfel. Pan oedd o allan yn yr Aifft efo'r fyddin roedd o wedi canu 'Cartref' ar y weiarles, a phawb drwy Gymru wedi ei glywed o. Fel mae'n digwydd aeth fy mrawd Albert allan i'r Aifft hefyd efo'r Welsh Guards yn ystod trafferth Suez yn y pumdegau. Roedd Alun Williams o'r BBC wedi mynd allan yno hefyd i wneud rhaglen efo'r hogia, ac ar ôl cael sgwrs efo Albert, oedd yn un o'r chydig Gymry Cymraeg, gofynnodd iddo fo ddewis cân. 'Mi faswn i'n hoffi cyflwyno'r emyn yma…' medda Albert '…i Mam a Dad, Margaret a Bryniog, 'Glân geriwbiaid a seraphiaid' ar yr emyn-dôn Sanctus.' Wel, roedd 'na hen grio acw, ac roedd pawb ym Mrynsiencyn oedd wedi gwrando ar y weiarles yn eu dagrau hefyd.

Ond i fynd yn ôl at Gwynne. Pan ddaeth yr Eisteddfod i Gaernarfon mi benderfynodd o gystadlu ac mi ganodd o 'Celeste Aida', Verdi, a dŵad yn ail i Stuart Burrows a aeth yn ei flaen wedyn i ennill y Rhuban Glas ac i enwogrwydd mawr. Rhai o sêr y steddfodau dwi'n eu cofio oedd adroddwyr fel J. O. Roberts; Stewart Jones; Brian Owen, Groeslon; Elis Wyn, Bodffordd; Leslie Dwyran a chantorion fel y ddau Elwyn: Elwyn Jones o Lanaelhaearn efo'r llais mawr enillodd ar yr unawd bas yn Steddfod Llangefni yn 1957, ac Elwyn Hughes o Bensarn, Amlwch, enillodd yr Osborne Roberts ymhen dipyn. Roedd Elwyn Hughes yn dduw i ni ym Môn. Fo oedd y '*number one*'. Fo oedd yr artist. Roedd o'n eiddil iawn o gorff, yn or-hoff o'r ddiod, ond yn annwyl a thawel. Doedd Elwyn byth yn brysio. Cymryd ei amser, symud yn ara deg, a rhoi'r argraff nad oedd dim byd yn ei boeni. Ond roedd ennill yn bwysig, er mwyn cael ceiniog neu ddwy i'w gwario'n syth. Roedd o'n mynd at y cerddor gwych Bradwen Jones am wersi canu ac roedd ynta'n hoff o gymryd y clod am lwyddiant Elwyn. 'He was a raw youth when he came to me' oedd ei eiriau fo.

Es inna hefyd at Bradwen Jones pan oeddwn i tua un ar bymtheg oed. Roeddwn i'n ffrindia mawr efo fo, ond roedd o'n medru bod yn grintachlyd ar brydiau. Dyn bychan reit grwn oedd o efo mop o wallt gwyn ar ei ben. Cyfeilydd gwych, ac er nad ydi athrawon da ddim bob amser yn gyfeilyddion da roedd Bradwen yn eithriad. Roedd o'n gyfeilydd dawnus ac yn organydd capel Hyfrydle Caergybi. Gallai siarad Cymraeg yn iawn, ond wnâi o fyth. Fel hyn y bydda fo'n dweud pan fyddwn i'n paratoi at y Genedlaethol yn Abertawe:

'And then when you win, Margaret...'

'No. *If* I win Mr Jones...'

'Oh! You'll win Margaret. You'll win.'

Roedd o'n medru rhoi hyder i chi. Roedd amryw isio mynd ato fo am wersi am ei fod o'n gerddor da ac yn mynd ar ôl y problemau technegol, a'ch dysgu chi sut i gyrraedd y nodau uchel, sut i anadlu'n iawn. Dwi'n cofio mewn un steddfod, fo oedd y cyfeilydd, cyn i mi ei adnabod o'n bersonol – ac roedd ganddo fo doreth o'i ddisgyblion ei hun yn cystadlu. Finna'n cael fy hyfforddi gan Mrs Sykes Jones ar y pryd. Roeddwn i'n canu 'Cân, Wennol, Cân'. Mae hi'n gân reit gyflym, a hanner ffordd drwyddi mae hi'n newid o'r llon i'r lleddf, yn yr union fan lle mae'r cyfeilydd yn troi tudalen. Roeddwn i'n disgwyl am y nodyn oedd yn arwain at hynny yn y cyfeiliant, a doedd o ddim yn dŵad. Felly mi gariais i mlaen a chanu, 'Er i ti ffoi...' ac wrth gwrs mi ddilynodd Bradwen fi, dim problem. Ond ar ôl i mi orffen a cherdded oddi ar y llwyfan, dyma fo'n cythru ata i,

'You didn't wait for me to play that F...'

'Well, Mr Jones, it was a long time coming. I thought something had happened.'

Wnes i rioed ei atgoffa o hynny pan oeddwn i'n cael hyfforddiant ganddo!

Pan oeddwn i'n ddwy ar bymtheg oed daeth Elwyn a fi'n gydradd gynta yn Steddfod Llanddona ar y gystadleuaeth canu emyn. 'Dyma Gariad fel y Moroedd' oedd fy newis i, a chanodd Elwyn yr emyn roedd o'n ei chanu bob tro, 'Mi glywaf lais yr Iesu'n dweud, "Tyrd ataf fi yn awr" ' ar y dôn Exodus. Fel roedd o'n cyrraedd y nodau olaf, byddai Elwyn yn codi ar flaena'i draed a'r llais bariton hyfryd yma'n dŵad allan o'r corff bychan, gwan. Gan ein bod ni'n gydradd gynta, dyma'r arweinydd yn dweud, 'Wel, be wnawn ni rŵan? Mae 'na gwpan a phres.' A medda Elwyn yn syth, cyn i mi gael cyfle i ddweud dim, 'Geith Margaret y cwpan, gymra i'r pres.'

Dwi'n cofio cystadleuaeth yr unawd bas yn Eisteddfod Môn a Charles Williams yn arwain ar noson o law a gwynt. Roedd 'na faswr o Sir Fflint newydd orffen canu 'Y Dymestl'. Roedd Charles yn galw am y canwr nesa, sef Elwyn. Ond roedd Elwyn a rhyw dri neu bedwar efo fo yn hwyr. Gwrthodwyd mynediad iddo fo a'r cefnogwyr oedd efo fo. Ond roedd y gynulleidfa wedi gweld Elwyn ac isio'i glywed o'n canu. Roedd lleisiau'r dynion y tu allan efo Elwyn i'w clywed yn blaen yn gweiddi am gael dŵad i mewn, ac efo'r gynulleidfa'n gweiddi'r un peth roedd 'na goblyn o le yno! A dyma Charles at y meicroffon a dweud yn ei ffordd unigryw ei hun, 'Mae hi'n dymestl y tu allan ac yn dymestl y tu mewn!' Chwarddodd pawb a chafodd Elwyn ddŵad i mewn a chanu 'Tyrd, Olau Mwyn' fel angel.

Roedd Eisteddfod Llanddeusant yn steddfod dda iawn i mi: ennill ar yr unawd dan bump ar hugain oed, canu emyn, y gân werin a'r unawd Gymraeg. Cefais y wobr gynta hefyd ar y brif unawd. Dywedodd Charles yn y steddfod honno, wrth fy nghyflwyno i'r gynulleidfa i dderbyn fy mhumed gwobr, 'Wyddoch chi be? Mae hi wedi ennill mwy o bres mewn un noson nag ydw i'n ei ennill mewn mis!' A dim ond rhyw ddeg punt oedd hynny, ond roedd o'n dipyn go lew hanner can mlynedd yn ôl. Sgwn i faint oedd y wobr gafodd enillydd yr adrodd dan bump ar hugain oed? Roedd o'n dŵad o Langefni, ac mi adroddodd 'Rownd yr Horn' gan Seimon B. Jones, a'i enw fo oedd Hywel Gwynfryn Evans! Enillydd y prif adroddiad oedd Stewart Jones a'r unawd dan bedair ar bymtheg oedd Aloma Jones. Diolch am yr eisteddfodau!

Roeddwn i'n cystadlu ymhob steddfod bron ar draws y gogledd o Ben Llŷn i Lanrwst ac o Ddyffryn Conwy i Steddfod Butlin's, Pwllheli. Roedd Steddfod Dyffryn Conwy yn steddfod bwysig iawn i mi er nad oeddwn i'n gwybod hynny ar y pryd. Tra oeddwn i'n canu mi sylwais ar ddyn oedd yn sefyll yng nghefn y neuadd yn gwrando'n astud arna i'n canu. Ar ôl i mi orffen canu, mi ddiflannodd. Cefais wybod wedyn mai dyn oedd yn byw yn y Ro-wen oedd o a ddaeth yn enw mawr ar y teledu yn ystod y chwedegau a'r saithdegau fel cynhyrchydd a chyflwynydd un o'r sioeau mwyaf poblogaidd ar y teledu ar y pryd. Y sioe oedd *Stars on Sunday*, a'r gŵr gwallt gwyn o'r Ro-wen oedd cyflwynydd y rhaglen, Jess Yates. Flynyddoedd ar ôl i mi ganu yn Nyffryn Conwy cefais wahoddiad ganddo fo i ymddangos ar y rhaglen. Mwy am hynny yn nes ymlaen.

Roedd 1959 yn flwyddyn gofiadwy i ddau o Ynys Môn. Enillodd Hugh Griffith, yr actor o Farian-glas, wobr Oscar am ei ran fel actor cynorthwyol yn y ffilm epig *Ben Hur*. Ac fe es inna i'r Coleg Normal ym Mangor, gan obeithio ennill diploma fyddai'n caniatáu i mi fod yn athrawes. Gwrando ar gyngor Mam a Nhad wnes i, oherwydd roedd prifathro ysgol Biwmaris wedi awgrymu y dylwn i wneud cais am le yn yr Academi Frenhinol yn Llundain, ar ôl i mi fethu mynd i'r Coleg Cerdd ym Manceinion. Roedd fy rhieni am i mi fynd i'r Coleg Normal, oherwydd ei fod o'n agos at adra, mae'n siŵr. Mi faswn i wedi gorfod treulio pedair blynedd yn yr Academi, ond dim ond dwy yn y Normal, oedd yn golygu y byddwn i'n dechrau ennill pres i mi fy hun ac yn cael cyflog wythnosol a rhoi cyfraniad i Mam a Nhad. Oherwydd nad oedd fy Nhad yn ennill fawr ddim, cefais grant llawn gan Gyngor Addysg Môn.

Roedd 'na dri o bobol y tu ôl i'r bwrdd yn fy nghyfweld, ac yn eu plith y Prifathro Edward Rees, tad Geraint Rees, cynhyrchydd un o gyfresi mwyaf poblogaidd S4C *Cefn Gwlad*, a Henley James, trefnydd cerdd Ynys Môn, gŵr roeddwn i wedi dŵad ar ei draws yn y steddfodau a'r cyngherddau, a phennaeth y merched yn y Coleg sef Miss Griffiths. Yn ystod y cyfweliad gofynnodd Miss

Griffiths i mi a fedrwn i adrodd darn o farddoniaeth ar fy nghof. Roedd gen i ddegau ohonyn nhw, ond fedrwn i gofio un ohonyn nhw ar y pryd? Na fedrwn, wrth gwrs. Dyma fi'n edrych allan drwy'r ffenest ar yr olygfa, y gerddi a'r coed palmwydd, Cymru ar ei gorau, a thra oeddwn i'n edrych daeth y geiriau yma o rywle, 'Gwinllan a roddwyd i'm gofal yw Cymru fy ngwlad, i'w thraddodi i'm plant ac i blant fy mhlant'. Nid oedi'n fwriadol wnes i wrth edrych drwy'r ffenest, er mae'n siŵr ei fod o'n edrych felly i'r tri oedd rownd y bwrdd. Alla i feddwl eu bod nhw wedi bod yn trafod wedyn, 'Wel! On'd oedd o'n ddramatig, y ffordd ddaru hi oedi a syllu i'r pellter, fel tae hi'n chwilio am ysbrydoliaeth.' Chwilio am y geiriau oeddwn i. Dyna'r gwirionedd. Ar ddiwedd y cyfweliad mi ofynnon nhw i mi a faswn i'n gwneud y cwrs drwy gyfrwng y Gymraeg. Ar ôl cael fy addysg i gyd drwy gyfrwng y Saesneg fwy neu lai yn ysgol Biwmaris mi ddywedais y baswn i'n falch o gael gwneud fy nghwrs drwy'r Gymraeg.

Ar y dechrau byddwn i'n dal bws yn ôl i Frynsiencyn bob nos gan fy mod i'n byw'n ddigon agos yn ôl telerau'r coleg i fyw adra. Ond golygai hynny fy mod i'n colli'r rhyddid o fyw mewn neuadd breswyl, a hefyd pan fyddai ambell ddarlith yn gorffen am hanner awr wedi chwech byddwn yn colli'r bws a gorfod aros am dair awr am y nesaf. Felly, ar ôl tymor cefais symud i'r neuadd efo fy ffrindia a byw bywyd coleg go iawn. Roedd yn rhaid i ni fod i mewn yn y neuadd erbyn deg o'r gloch, oni bai eich bod wedi cael caniatâd i aros allan yn hwyrach.

Yn y neuadd roedd 'na stafell lle roedden ni'n dŵad at ein gilydd am sgwrs ac i wrando ar gerddoriaeth. Y llais dwi'n ei gofio ydi llais y canwr yn y sbectol dywyll, Roy Orbison yn canu 'It's now or never, my love can't wait.' Roedd y cymdeithasu'n cyrraedd ei uchafbwynt am bedwar o'r gloch bob dydd, pan fydden ni'n cael sesiwn o yfad te a bwyta teisen. On'd ydi o'n swnio'n ofnadwy o ddiniwed erbyn hyn! Ond ew, roedd y byns efo eisin arnyn nhw'n flasus! Mi faswn i wedi medru bwyta dwy neu dair o'r rheiny ar y tro. Er bod Nhad yn hoff o'i beint, doeddwn i byth yn mynd i'r dafarn. Doedd o ddim isio i'w ferch fach fynd i drwbwl ac roedd gen i ofn y byddai rhywrai yn dweud wrtho fo'u bod nhw wedi ngweld i yn nhafarn y Globe! A fyddai o ddim wedi bod yn hapus iawn tasa fo wedi fy ngweld i'n cael fy smôc gynta. *Senior Service satisfies*' meddai'r hysbyseb bryd hynny. Nid dyna oedd fy mhrofiad i. Gorwedd ar y soffa a mhen i'n troi, dyna'r profiad i mi! A doedd blas sigarét menthol Marlborough ddim yn *Cool as a Mountain Stream*' chwaith!

'Dim ond serch'

Dyddiad pwysig yn fy hanes i oedd y trydydd ar hugain o Ionawr, 1960. Dyna pryd wnes i gyfarfod Geraint, fy ngŵr, mewn aduniad i gyn-fyfyrwyr yn y coleg. Go brin y byddai Geraint yn cofio, ond mi fuon ni'n dawnsio efo'n gilydd, ac wedyn mi drefnon ni gyfarfod a mynd i sinema'r Plaza. A dyna ni, ar ôl y *Brief Encounter* yna doedd 'na ddim troi'n ôl.

Roedd yr aduniad yn gyfle hefyd i groesawu'r myfyrwyr newydd, a gofynnwyd i mi ganu yn y cyngerdd croeso. Ond pan ddaeth 'na hogyn efo acen y Sowth o rwla a chamu i'r llwyfan yn gwisgo pâr o fronnau enfawr ac adrodd, 'Y Ddwy Ŵydd Dew', mi sylweddolais mai noson wallgo oedd hi am fod! Penderfynais felly y byddai'n gall i mi beidio â chanu am 'Y Mab Afradlon', ond yn hytrach ganu am y 'Nico annwyl' ar eiriau Cynan. Yn wir i chi, roedd y gynulleidfa wedi mwynhau'r gân honno bron cymaint â'r adroddiad chwaethus, safonol am y ddwy ŵydd dew efo'r bronnau enfawr!

Gyda llaw, sôn am y Nico, dwi'n cofio cyfarfod Cynan yn nhafarn y Goat, o bob man, ar ôl i mi ennill y Rhuban Glas yn Steddfod Abertawe yn 1964. Roeddwn i yn y Goat efo Geraint, oedd yn ŵr i mi erbyn hynny, ac roedd fy mrawd Albert efo ni. Pwy oedd yn sefyll ym mhen pella'r bar ond Cynan ac mi rowliodd botal o shampên ar hyd y bar i'n cyfeiriad ni. Ei ffordd ddramatig o oedd hynny o ddweud, 'Da iawn am ennill y Rhuban Glas'. Er ei fod o'n fawr, doedd o ddim yn fawreddog. Dyn hoffus ac annwyl iawn oedd Cynan.

Newydd gael fy neunaw oed oeddwn i pan wnes i gyfarfod Geraint yn y coleg, ac ynta'n tynnu at ei dair ar hugain oed ac yn fyfyriwr aeddfed o'i gymharu â'r myfyrwyr deunaw oed oedd yno, gan ei fod o wedi bod yn yr RAF am ddwy flynedd cyn mynd i'r coleg yn gwneud ei Wasanaeth Milwrol. Roedd o wedi cwblhau ei ddwy flynedd yn y coleg ac yno'r noson honno yn yr aduniad a finna ar fy nhymor cynta. Mi ddwedodd wrtha i wedyn ei fod o'n gwybod yn iawn pwy oeddwn i ar ôl fy ngweld i'n canu mewn steddfodau. Ara deg oedd y berthynas yn c'nhesu. Stopio ac ailgychwyn bob yn ail. Wedyn mi fuodd o'n sâl yn yr ysbyty am fis efo *duodenal ulcer,* ac yn y pen draw bu'n rhaid iddo gael rhyw ddeg peint o waed. Byddwn i'n mynd yn rheolaidd i'w weld yn ysbyty'r C&A ym Mangor.

Y tro cynta i mi weld Geraint ar ôl iddo fo adael yr ysbyty roeddwn i ar y bws, ac ynta'n disgwyl y bws yn Y Felinheli mewn *trench coat,* yn edrych yn wael ac wedi colli pwysau. Dyna pryd sylweddolais i fod y berthynas rhyngddon ni'n fwy na chyfeillgarwch, ac mi wyddwn yn fy nghalon na faswn i ddim yn priodi neb arall. Wedi hynny byddai Geraint yn cadw cwmni i mi pan fyddwn i'n mynd i'r steddfodau ac yn cyfeilio i mi hefyd, a'r tro cynta i mi gystadlu ar yr unawd yn y Genedlaethol oedd yn 1961 yn Rhosllannerchrugog. Yno efo fy ffrind Hilda oeddwn i, yn canu aria Susanna allan o'r opera Priodas Figaro gan Mozart, *Deh vieni non tardar,* 'O tyred, paid ag oedi'. Meirion Williams oedd yn beirniadu, a'r noson honno mi glywson ni fy mod i wedi cael llwyfan, ac felly mi aethon ni i'r dafarn i dathlu; tafarn oedd ddigon pell o Frynsiencyn!

Camgymeriad mawr iawn. Cyn pen dim roeddwn i'n ista wrth y piano'n cyfeilio i bobol yn canu emynau, ac yn yfed *rum and blacks*, a'r rheiny'n un rhes ar dop y piano. Bore wedyn, yn ystod y gystadleuaeth, roeddwn i'n diodda'n ofnadwy o effaith y noson gynt. Pen maen mawr, fel mae o'n cael ei alw! Ac mae'r ffaith fy mod i wedi cael y drydedd wobr yn dweud y cyfan. Roeddwn i'n flin iawn efo fi fy hun. Dyna ddaeth â fi at fy nghoed. Ddois i byth yn drydydd ar ôl hynny.

Dwi'n cofio cyflwyno Geraint am y tro cynta i Mam a Nhad. Roedden nhw'n gwybod fod gen i gariad, 'hogyn colej', fel bydda Nhad yn ddweud. Roeddwn i'n meddwl weithiau nad oedd Nhad isio'i gyfarfod o am fod Geraint yn 'hogyn colej' ac ynta ddim. Ond wedi'r cwbwl, roeddwn inna'n 'colej girl'. Roedd tad Geraint yn ddarllenwr mawr, yn gapelwr selog ac yn gynghorydd y pentra, ond hefyd yn chwarelwr fel fy nhad.

Roedd 'na gynnwrf yn y tŷ pan gyrhaeddodd Geraint a chnocio ar y drws. Am ryw reswm mi redais i'r llofft tra oedd Mam yn ei groesawu o, a finna'n dŵad lawr grisia wedyn yn dawel ac mynd i wneud paned. Doedd Nhad ddim yn y tŷ. Roedd o allan yn cael gwers gyrru car. Bu Geraint yn ddigon dewr i fynd efo fo yn y car ar ôl hynny i gyfeiriad Llangaffo. Roedd Nhad yn nerfus iawn y tu ôl i'r olwyn, a phan ddaeth car rownd y gornel, mi waeddodd Geraint, 'Gwyliwch, wir Dduw!' ac fe orffennodd y car ar dop rhyw wrychyn. Doedd y naill na'r llall fawr gwaeth. Chwerthin am oriau wedyn, dŵad adra a dweud yr hanes nes oedden ni i gyd yn ein dyblau. A dyna dorri'r iâ a'r ddau'n dŵad yn ffrindia agos iawn.

Capel Mawr Bryn ar y pedwerydd o Ebrill 1964, diwrnod priodas Geraint a finna. Arfon, brawd Geraint, oedd y gwas priodas a Hilda fy ffrind oedd y brif forwyn, ac roedd ganddi hi ddwy forwyn fach, Anwen, hogan Bryniog fy mrawd, ac Einir, c'neithar i Geraint. Roedden nhw'n werth eu gweld yn eu ffrogia del oedd wedi'u gwneud gan Anti Margaret, chwaer i fam Geraint. Roeddwn i'n gwisgo ffrog wen efo llewys hir wedi ei phrynu yn siop Dubarry's yn Lerpwl. Yn ystod y gwasanaeth, fel roedd Geraint yn rhoi'r fodrwy ar fy mys, disgleiriodd yr haul drwy'r ffenest a tharo'r fodrwy. Wir i chi! Mae o i fod yn arwydd o lwc. Cwbwl dduda i ydi ein bod ni'n dal efo'n gilydd dros hanner can mlynedd yn ddiweddarach. Roedd y wledd briodas yng ngwesty'r Waverley. Ar ôl gwrando ar yr holl areithiau, araith fy nhad oedd yr un fwyaf cofiadwy. Cododd ar ei draed a dweud 'Diolch' a dyna ni! Roedd yr holl achlysur yn ormod iddo fo.

Aethon ni i Lundain ar ein mis mêl, i weld y *sights* yn ystod y dydd ac i theatr y Prince of Wales gyda'r nos i weld Max Bygraves. Dwi'n cofio ista yn y cadeiriau cyfforddus, ac edrych o nghwmpas ar foethusrwydd y theatr a'r llenni trymion coch ar y llwyfan a'r goleuadau llachar uwchben. Roedd o'n fyd nefolaidd i mi. Er fy mod i'n athrawes erbyn hynny yn Ysgol Gynradd Biwmaris, roeddwn i wedi penderfynu fy mod i isio bod yn rhan o'r byd yma.

Eisoes, tra oeddwn yn yr ysgol, pan fues i lawr yn TWW roedd Chris Mercer, cynhyrchydd *Gwlad y Gân*, wedi dweud y basa fo'n gofyn i mi fod yn rhan o'r gyfres efo Sian Hopkins, Marion Davies a'r gweddill taswn i'n byw yng Nghaerdydd, neu o leia'n ddigon agos i allu ymarfer yn wythnosol. Roedd hynny'n amhosib, wrth gwrs, ar y pryd, ond dyna hedyn arall yn cael ei blannu fel yr un blannwyd ar ôl mi weld fy mhantomeim proffesiynol cyntaf ym Mae Colwyn.

Roedd y syniad o symud i lawr i'r de wedi bod yn troi a throi yn fy mhen i ers tro. Un diwrnod daeth Meirion Davies, o staff Ysgol Biwmaris â thudalen o'r *Western Mail* a dangos hysbyseb i mi am swyddi i athrawon yng Nghaerffili, Gelli-gaer a

Phontypridd. Penderfynodd Geraint a finna ein bod ni am fynd lawr i'r de ac ymgeisio am ddwy o'r swyddi. Roedden ni hefyd wedi penderfynu y byddai'n rhaid i'r Awdurdod roi swydd i'r ddau ohonon ni. Os nad oedd y naill yn cael swydd, doedd y llall ddim yn mynd i dderbyn. A dyna ddigwyddodd. Cefais i swydd yn Gelli-gaer (neu 'Gelli-gêr' chwadal y bobol leol) a chafodd Geraint swydd yng Nghaerffili yn Ysgol Cwm Ifor, hen swydd y tenor Stuart Burrows, a ddaeth yn ffrind mawr i ni'n dau.

Roeddwn i'n cael cynigion am waith canu ar y teledu yn syth ar ôl symud i'r de. 1964 oedd hi a Meredydd Evans newydd ddechrau creu adran adloniant ysgafn yn y BBC. Penderfynais roi'r gorau i fy swydd barhaol fel athrawes, a dysgu mewn gwahanol ysgolion pan oeddwn i'n rhydd. Un o'r ysgolion cynta i mi ddysgu ynddi hi oedd Ysgol Trelewis, a phwy oedd yn yr ystafell athrawon ond Islwyn Hughes, hogyn o Roscefnhir oedd yn yr un dosbarth â fi yn yr ysgol yn Sir Fôn. Roedd hi mor braf gweld rhywun o 'adra'. Fel Dafydd Islwyn mae o wedi cael ei adnabod ar ôl hynny. Roeddwn i'n falch iawn ei fod o wedi cael gwobr er anrhydedd yn 2015 am wasanaeth oes i'r cylchgrawn *Barddas*. Ond dyna ni, 'Pwy rydd i lawr wŷr mawr Môn?'

Felly, fis yn unig ar ôl priodi roedden ni'n dau wedi symud i lawr i'r de ac wedi cychwyn fel athrawon ym mis Mai 1964, ar drothwy'r eisteddfodau mawr, yr Urdd, Llangollen a'r Genedlaethol. Pan dwi'n edrych yn ôl ar fy mywyd mae 1964 yn sicr yn garreg filltir bwysig: priodi, symud i lawr i'r de i fyw, ac ennill tair o'r prif wobrau i gantorion yn eisteddfodau'r Urdd a Llangollen a'r Rhuban Glas yn Abertawe. Roedd y naw mis cynta'n gyfuniad o berfformio ar y radio a'r teledu, a dysgu hefyd, oherwydd doeddwn i ddim yn ddigon hyderus y gallwn i wneud bywoliaeth o berfformio'n unig.

Ar ôl cael swydd roedd yn rhaid i ni gael lle i fyw, a daeth y rhwydwaith teuluol yn handi dros ben. Roedd Yncl Eric, brawd tad Geraint, wedi symud lawr i'r de efo Anti Sal i fyw ym Mhenderyn, cartre'r wisgi. Roedd Anti Sal yn dipyn o gymeriad, yn actores amatur ac wrth ei bodd efo Max Bygraves, Bruce Forsyth a Stan Stennett. Os oedd y gynulleidfa braidd yn denau ar y Sul yn y capel ym Mhenderyn, byddai Yncl Eric yn mynd i'r pwlpud a siarad am ei hoff ganwr, David Lloyd, ac i gloi yn canu 'Bugail Aberdyfi' a 'Lausanne'. Beth bynnag, mi gysylltodd Anti Sal efo Anti Maud, oedd yn byw yn ochrau Caerdydd, i weld a oedd hi'n nabod rhywun yn Ystrad Mynach fyddai'n gwybod am le addas i ni. Ateb Anti Maud i'r ymholiad mewn dau air oedd 'Myfi Williams'. Roedd ganddi hi stafell. Heb i ni hyd yn oed weld y lle, mi ddudon ni 'Iawn' yn syth. O fewn saith wythnos ar ôl priodi yn y gogledd roedd Geraint a finna wedi symud i fyw efo Myfi yn 59 Central Street, Ystrad Mynach. Dim ond pedwar deg wyth oed oedd Myfi, ond fedrwn i ddim ei galw hi wrth ei henw cynta. Mrs Williams oedd hi i mi bob amser. Roeddwn i'n gweld hynny'n wahaniaeth rhwng y gogledd a'r de. Roedd athrawon yn Ysgol Biwmaris yn galw'i gilydd yn Mrs, Mr neu Miss, ond yn y de enwau cynta oedd hi bob tro.

Yr unig broblem gododd ei phen oedd prinder piano. Doedd 'na ddim piano yn nhŷ Myfi. Ond tri drws i lawr roedd modryb i Myfi yn byw efo'i nith, Mary, ac roedd 'na biano yno! Roedd Bopa yn ddynes annwyl dros ben: un fach gron, groesawgar; halen y ddaear efo wyneb caredig, gwallt gwyn, ac yn siarad Cymraeg. Tasa chi wedi gweld y piano mi daerech mai hen biano Adelina Patti oedd hi, efo candelabra bob ochor! Pan fyddwn i'n mynd lawr i dŷ Bopa i ymarfer, ac roedd hynny bob dydd, byddai Mary yn ista ar y soffa'n gwrando arna i. Mary fyddai'n glanhau Ysgol

Ystrad Mynach, ac roedd bywyd i Mary yn symud yn arafach nag oedd o i bawb o'i chwmpas. Wrth ymarfer y caneuon byddai Mary yno'n ddeddfol yn syllu arna i tra oeddwn i'n canu, ac yn mwynhau hefyd, am wn i.

Yn anffodus doedd sŵn y piano ddim yn arbennig, felly byddai Geraint a finna'n teithio'n ôl a blaen i'r ysgol i ymarfer ar y piano fan honno tan ddaeth hi'n amser i mi gystadlu yn Eisteddfod yr Urdd ym Mhorthmadog, lle'r enillais i'r Unawd Soprano a'r Gân Werin dan bump ar hugain oed. Ar gyfer Eisteddfod Llangollen, fodd bynnag, roeddwn i'n teimlo fod yn rhaid i mi gael gwersi, ac wrth lwc roedd Phyllis Kinney a Meredydd Ifans wedi dwad draw o America ac yn byw yng Nghaerdydd.

Roedd Phyllis yn gantores opera ac wedi canu gyda chwmni Carl Rosa, a chyda Phyllis yn fy hyfforddi enillais yr Her Unawd yn Llangollen a'r Rhuban Glas yn Abertawe. Mae lle i ddiolch yma i Bradwen Jones hefyd, gan mai efo fo'r oeddwn i wedi dysgu ac ymarfer yr unawdau tan fis Ebrill 1964. Yr hyn wnaeth Phyllis yn fwy na dim oedd rhoi mwy o hyder i mi. Roedd hi am i mi ganolbwyntio ar ganu clasurol, operatig a rhannau ysgafn fel Susanna. Byddai hi bob amser yn dweud,

'If anybody asks you can you do something, always say "Yes".'

'But, what if I can't do something?'

'Doesn't matter,' meddai. 'Always say "Yes".'

Er fy mod i'n hapus iawn efo'r gwersi canu gan Phyllis, ac yn mwynhau byw yn Ystrad Mynach, roedd gen i hiraeth mawr am fy nheulu a'r ffrindia yn y gogledd. Byddai Geraint a finna'n mynd draw i Benarth yn reit amal ac yn ista fan honno'n syllu ar y môr ac yn siarad am adra. Roeddwn i'n colli fy ffrindia yn fawr. Roedd popeth yn y cymoedd, gan gynnwys yr iaith, mor wahanol i hogan wedi ei magu yng nghefn gwlad Sir Fôn. Wedi dweud hynny, roedd yr athrawon yn yr holl ysgolion y bûm i ynddyn nhw yng Nghwm Rhymni yn arbennig o groesawus a chynnes.

Dwi'n cofio unwaith, roeddwn i'n paratoi'r disgyblion i fynd allan ar yr iard i gael gwers chwaraeon. Pan oeddwn i'n hogan fach *'pumps'* oedden ni'n galw'r sgidia du ysgafn roedden ni'n eu gwisgo ar gyfer chwaraeon. Felly, dyma fi'n dweud, 'Right. Take out your *pumps!*' Pawb yn edrych yn hurt arna i. 'Take out your *pumps*, please,' meddwn i eto. Llaw un o'r plant yn yr awyr. 'Please, Miss, *we* do say daps.' A dyna fy rhoi fi yn fy lle!

Roedden nhw'n blant annwyl iawn ac roeddwn i wrth fy modd yn eu dysgu nhw. Ond roedd Phyllis Kinney yn fy ngwthio i fynd yn gantores broffesiynol, oherwydd ei bod hi'n ffyddiog y byddwn i'n medru byw ar berfformio. Roeddwn i un cam yn nes at roi'r gorau i ddysgu'n gyfan gwbwl, a mynd yn athrawes gyflenwi, oedd yn golygu teithio o ysgol i ysgol. Ffordd dda iawn o ddŵad i adnabod Cwm Rhymni.

Fy nhad a Nain
Glan Braint.

Nain a Taid Arwel:
rhieni fy mam.

Fy nhad yn ei iwnifform cyn mynd i'r rhyfel, fi'n flwydd oed yn ei freichiau a'm brodyr, Bryniog ac Albert.

Bryniog, Albert a fi. Dim gwên gen i am fy mod i eisiau sefyll! Diva!

Parti 16 Brynsiencyn. Fy nhad ac Albert y 4ydd a'r 5ed yn y rhes gefn o'r chwith; fy mam y 1af ar y dde yn y rhes flaen; Margaret, gwraig Albert, y 1af ar y chwith; yr arweinydd, R. W. Francis, Brynsiencyn, ar y chwith a Mair Parry'r gyfeilyddes y 1af ar y dde yn sefyll.

O, y brychni haul!

Côr Plant Brynsiencyn a fi ynghanol y rhes gefn. Ar y chwith,
y gyfeilyddes, Mrs Jones Hafod (nain Dafydd Du). Ar y dde,
yr arweinydd, R. W. Francis.

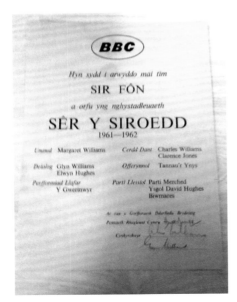

Sêr y Siroedd: 'Pwy rydd i lawr
wŷr a gwragedd Môn?'

Fy nosbarth cyntaf eiroed ym Miwmaris, 1962.

Ennill Gwobr Goffa
Lady Herbert Lewis, 1963.

Llun cyhoeddusrwydd cyntaf, 1964.

Efo fy nhad ar ddiwrnod fy mhriodas.

O'r dde: Derek
Boote, Phyllis
Kinney, fi,
Meredydd
Evans, ffrind
i Derek Boote
a Geraint,
1968.

'Cân i Gymru', 1969.

Cyfres *Be Nesa?* BBC Wales 1966/67.
Ryan a fi, Ruth Madoc a Bryn
Williams ar ochr dde'r llun, Johnny
Tudor a Gail Latham (coreograffydd)
y tu ôl i ni.

'Cofio Ryan' yn Top Rank
Abertawe efo Arwyn Davies,
Kev Johns, Peter Karrie, Sion
Probert, Johnny Tudor, Ieuan
Rhys, Côr Meibion Dyfnant a
Cherddorfa John Quirk.

Cyngerdd efo Ryan ym
Mhontrhydfendigaid, 1969.

Pennod 5

'Ar hyd y nos'

Dwi'n cofio dwy drychineb fawr yng nghanol y chwedegau. Damwain fawr ym mhwll glo'r Cambrian yn 1965 pan laddwyd dros ddeg ar hugain o lowyr. Gan ein bod ni'n teimlo'n rhan o'r gymuned erbyn hyn, aeth Geraint a fi i fyny i Glydach i sefyll efo'r teuluoedd oedd yn aros i weld ai eu gwŷr neu eu meibion nhw oedd yn cael eu cario i fyny'n farw o'r lofa. Isio helpu, ond methu gwneud dim. Dychrynllyd.

Y flwyddyn ganlynol ym mis Hydref digwyddodd trychineb Aberfan. Roeddwn i'n dysgu mewn ysgol yn Nhroed-y-rhiw ar y pryd. Daeth Miss Burrows, athrawes a modryb i Stuart Burrows, i mewn i'r dosbarth a chyhoeddi fod damwain wedi digwydd. 'Make sure' medda hi wrtha i, 'the children don't go into the corridor, and that they don't drink the water. It might be contaminated.' Doedd hi na finna ar y pryd ddim yn gwybod fod y ddamwain yn un mor erchyll. Ymhen dim roedd Miss Burrows yn dŵad i mewn eto i rybuddio'r plant unwaith yn rhagor ac i adael i minna wybod beth oedd wedi digwydd. Doedd 'na ddim rhybudd o gwbwl i blant Ysgol Gynradd Pant-glas yn Aberfan, ac ar ôl cyrraedd adra ac edrych ar y teledu a gweld yr holl bobol yn gweithio yn y t'wllwch i geisio dŵad o hyd i'r plant, dyna pryd y sylweddolais i faint y drasiedi. Ronnie Williams (partner Ryan yn nes ymlaen) oedd ar ddyletswydd fel cyhoeddwr a darllenydd newyddion y noson honno. Ar ôl bod yn darllen bwletinau drwy'r nos, y bore wedyn aeth i fyny i Aberfan i weld a allai o helpu mewn unrhyw ffordd.

Yn fy meddwl dwi'n cysylltu'r enw Aberfan efo salwch mam Geraint. Roedd hi'n wael iawn, yn diodda o ganser yn ysbyty'r C&A. Roedden ni'n teithio'n ôl a blaen i'r gogledd i'w gweld bob penwythnos, a phob tro bydden ni'n galw, er mai prin oedd ei geiriau hi, yr un fyddai'r cwestiwn bob tro, 'Beth am y plant bach 'na yn Aberfan?'

Aethon ni ati hi ar ôl i mi recordio fy record gynta efo Geraint yn cyfeilio. 'Cartref', 'Blodau ger y drws' a'r 'Eneth glaf' oedd y caneuon ar y record ac roeddwn i wedi prynu Grundig, recorder fechan ail-law, er mwyn i Mam Geraint allu ei chlywed hi. Tra oedd hi'n trio gwrando arna i'n canu am yr 'Eneth Glaf', roeddwn i'n siarad pymtheg y dwsin rhag iddi hi glywed y geiriau, 'Mi fendi di pan ddaw yr haf'. Ond bu rhaid i mi dawelu, achos roedd hi'n cael cysur o'r geiriau, er ei bod hi'n gwybod yn iawn na fyddai hi'n mendio. Amser trist iawn.

Bûm mor lwcus i ennill gwobrau'r eisteddfodau mawr yn 1964 achos dyna'r flwyddyn y cychwynnwyd yr Adran Adloniant Ysgafn yn y BBC yng Nghaerdydd. Dwi'n cofio cael clyweliad y flwyddyn honno yng Nghaerdydd ar gyfer cyfres *Os gwelwch yn Dda* gyda chantorion fel Stuart Burrows, Richard Rees, Rowland Jones a'u tebyg yn cael eu harwain a'u cyfeilio gan Ray Jenkins a Cherddorfa Gymreig y BBC. Roedd 'na ddwy adran yn ymwneud â cherddoriaeth yn y BBC ar y pryd: Adran Gerdd ac Adran Canu Ysgafn, a'r Adran Gerdd braidd yn snobyddlyd tuag at yr adloniant ysgafn. Roedd fy 'audition' yn y BBC yn Park Place efo Alwyn Jones, pennaeth yr adran gerdd ar y pryd, a Moelfryn Harris yn gwrando arna i. Ar ôl canu un gân dyma Mr Harris yn dweud, 'Cut the dynamics by half.' Wyddwn i ddim be ar y ddaear oedd o'n feddwl, a dyma ganu'r ail ddarn. 'Much better,' medda fo. Wn i ddim hyd heddiw beth oedd y gwahaniaeth! Beth bynnag, o ganlyniad i'r clyweliad cefais gytundeb i recordio dwy raglen yn canu gyda Stuart a Richard: y tro cynta i mi gyfarfod dau eilun i mi er pan oeddwn i'n bymtheg oed.

Yn ogystal â chanu ar raglenni fel *Os gwelwch yn Dda*, cefais ymddangos ar raglen arall gan Merêd sef *Y Rhuban Glas*. Math o raglen ddogfen oedd hon gyda Stewart Jones, enillydd gwobr Llwyd o'r Bryn yn Abertawe 1964; Peggy Williams, Trimsaran, enillydd Gwobr David Ellis, a finna ar yr Osborne Roberts. A dyna ddechrau go iawn ar fy ngyrfa deledu.

Roeddwn i'n bedair ar hugain oed yn un o'r rhai cynta i gael cytundeb gan Merêd. O'r cychwyn roeddwn i'n berffaith gartrefol o flaen y camerâu. Wedi'r cwbwl roeddwn i wedi hen arfer perfformio ar lwyfan yr eisteddfod i gannoedd o bobol, a chriw reit fychan oedd yn y stiwdio yn ein gwylio ni, felly, doedd bod yn y stiwdio ddim yn achosi pryder o gwbwl. Roeddwn i wedi bod ar deledu er pan oeddwn i yn yr ysgol ac wedi gwneud cyfresi i Teledu Cymru ac i TWW, ac eto wnes i erioed feddwl, 'Waw, dwi wedi cael gwireddu fy mreuddwyd!' Parhad o'r hyn oeddwn i wedi ei wneud erioed oedd y cyfan. Dyna pam mae fy nhraed i wedi bod ar y ddaear o'r cychwyn. Chefais i mo fy nallu gan y goleuadau, diolch byth.

Yng nghanol y chwedegau un o'r rhaglenni roedd pawb yn sôn amdani oedd *That Was the Week That Was*; rhaglen ddychan oedd hon, yn cicio yn erbyn y tresi ac unrhyw sefydliad neu unigolyn hefyd roedden nhw'n teimlo oedd yn haeddu cael ei roi yn ei le trwy ei ddychanu a'i fychanu. Penderfynodd Merêd y dylid rhoi Cymru, ei gwleidyddion a'i sefydliadau o dan y chwyddwydr mewn rhaglen yn dwyn y teitl *Stiwdio B*, am y rheswm syml mai o Stiwdio B y darlledwyd y rhaglenni. Lena Pritchard Jones a Ronnie Williams oedd yn cyflwyno, a Ieuan Rhys Williams, Gaynor Morgan Rees a Stewart Jones fel Dyn y Tryc oedd yn cwyno'n wythnosol am sefydliadau fel yr 'England Refeniw', y llywodraeth a'r heddlu.

Roeddwn i'n ymddangos mewn sgets rŵan ac yn y man, ond fy mhrif swyddogaeth i oedd agor y rhaglen yn wythnosol, fel Millicent Martin ar *That Was the Week That Was* gyda chân amserol am brif straeon yr wythnos. Roedden ni'n cael y sgriptiau'r diwrnod cynt, ac felly chydig iawn o amser oedd 'na i'w dysgu a'u hymarfer nhw. Jac Williams oedd y cynhyrchydd, a dwi'n cofio mod i mewn sgets efo Gaynor Morgan Rees am ddwy hogan yn gweithio yn Woolworth's. Ond cyn i ni ddechrau ymarfer dyma Jac yn troi at Gaynor ac yn dweud wrthi, 'Gaynor, dwi isio i chdi fod yn goeden.' O! Be wna i? Be tasa fo'n gofyn i mi fod yn goeden? Fyddai gen i ddim syniad beth i'w wneud. Ond gan fy mod i ar y rhaglen i ganu'n benna, doedd dim rhaid i mi smalio fy mod i'n goeden yn tyfu canghennau, diolch i'r drefn!

Roedd hi'n rhaglen fyw, felly os oedd 'na unrhyw beth yn mynd o'i le doedd ganddoch chi ddim dewis, dim ond cario mlaen a cheisio dŵad allan o'r twll roeddech chi ynddo fo. Ac mi fues i yn un o'r tyllau hynny! Roeddwn i ar ben grisia uchel tra oeddwn i'n canu'r gân enwog 'The Wedding', geiriau Cymraeg gan John Bevan. Roeddwn i'n cerdded i lawr y grisia 'ma'n canu, neu'n meimio ddylwn i ddweud, '*You by my side, that's how I see us, your folks and mine happy and smiling*' ac yn y blaen. Stopiodd y gerddoriaeth yn ddirybudd. Doeddwn i *ddim* yn *happy and smiling*. Doedd gen i ddim dewis ond cario mlaen i gerdded lawr y grisia, tra oedd y rheolwr llawr yn y stiwdio yn gwneud stumiau

fel dyn gwirion o mlaen i gan fy annog i wenu fel giât. Yn sydyn
reit, dyma'r tâp canu'n ailddechrau, ynghanol rhyw frawddeg, ac
roedd rhaid i mi ymbalfalu i drio cael fy ngheg i gyd-fynd â'r tap
– a'r cwbwl i gyd yn fyw!

Dwi'n cofio dynwared y gantores werin Shân Emlyn a'r
gantores Olwen Lewis ar *Stiwdio B*. Doedden nhw ddim yn
hapus, oherwydd doedd neb yn dynwared y dyddiau hynny.
Ond *compliment* iddyn nhw oedd o gan eu bod yn boblogaidd
iawn ar y pryd. Un arall oedd ddim yn hapus oedd Mam. 'Dyma
chdi wedi ennill y Rhuban Glas, a be' wyt ti'n neud – *Stiwdio
B*!' Mae'n amlwg fod fy mherfformiad ar y rhaglen wedi dŵad â
mwy o anfri ar y teulu na phetawn wedi cael trydydd yn Steddfod
Llannerch-y-medd!

Ugain punt oedd y swm anrhydeddus am ymddangos ar
Stiwdio B. Yn ôl gwerth pres heddiw roedd hynny tua dau gant
chwe deg o bunnoedd yn 1966. Ond dwi'n cofio i Stewart Jones
ddweud wrtha i ei fod o'n cael wyth bunt ar hugain oherwydd
ei fod o'n aelod o Undeb Equity (ac efallai am mai dyn oedd
o!). Roedd hi'n amlwg felly mai'r cam nesa i mi oedd ymuno ag
Equity. Ond doedd hi ddim mor hawdd â hynny. Chawn i ddim
ymuno â'r undeb oni bai fy mod i'n medru profi fy mod i wedi
perfformio ddeugain o weithiau neu fwy yn broffesiynol, ac
awgrymwyd, gan fy mod i'n gantores, y gallwn i fynd i ganu i'r
clybiau nos yn y de. A dyna wnes i.

Y clwb cynta i mi ganu ynddo fo oedd clwb nos yn Nhai-bach
ger Port Talbot. Y noson honno doedd Geraint ddim yn medru
dŵad efo mi, felly doedd gen i neb i gyfeilio i mi. Trefnodd yr
asiant fy mod i'n cael rhannu car efo comedïwr o'r Alban oedd
yn ymddangos yn y clwb yr un noson. Mewn â fi i'r clwb drwy'r
drws cefn i'r stafell newid oedd yn syndod o gyfforddus a dweud

y gwir. Cefais air cyflym efo'r cyfeilydd, a chwarae teg roedd o'n dda iawn, ac roedd y piano mewn tiwn. Wedi i mi fynd yn ôl i'r stafell newid a gwisgo, roeddwn i'n barod am fy mherfformiad cyntaf mewn clwb nos. Lai na blwyddyn ynghynt roeddwn i'n cerdded allan ar lwyfan pafiliwn y Genedlaethol yn Abertawe ac yn ennill y Rhuban Glas. Byddai'r profiad o ganu ar lwyfan y clwb yn Nhai-bach dipyn gwahanol.

Bryn oedd enw cyflwynydd y noson ac roedd ei gyflwyniad o'n gymorth mawr i mi gael gwrandawiad teg.

'Ladies and Gentlemen, our singer tonight is singing in a nightclub for the first time. She's twenty three years of age, and not only does she come all the way from north Wales, but she was a National winner in Swansea. Please give a warm Tai-bach welcome to Margaret Williams.'

Ac yn wir cefais bob chwarae teg ganddyn nhw, hyd yn oed pan oeddwn i'n canu caneuon gwahanol iawn i ganeuon y byddech chi'n eu cysylltu efo awyrgylch clwb fel 'Ar Hyd y Nos' a 'Cartref'. Ar ddiwedd y noson dyma'r trefnwyr ata i a gofyn oeddwn i ar gael i ddŵad yn ôl i ganu eto'r penwythnos canlynol ar noson Gŵyl Dewi. 'Yes, thank you,' meddwn inna.

Roedd cael asiant bryd hynny a chitha'n gweithio drwy gyfrwng y Gymraeg yn rhywbeth newydd yng Nghymru. Cyn dyfodiad teledu doedd ar y perfformwyr ar y radio ddim angen asiant oherwydd mai amaturiaid oedden nhw. Roedden nhw'n athrawon, neu'n ffermwyr, yn weinidogion neu'n gyfreithwyr, ac felly roedd actio yn hobi a dweud y gwir. Ond perfformio oedd fy mywoliaeth i, ac felly roedd angen asiant arna i gael gwaith i mi, a Pat oedd honno, gwraig Johnny Stuart, y comedïwr o

Lanelli. Roedd hi'n methu credu fy mod i wedi cael gwahoddiad i ddychwelyd i Glwb Tai-bach a finna rioed wedi canu mewn clwb o'r blaen. Gyda llaw, ar y *One Show* yn ddiweddar roedd 'na eitem am y llun du a gwyn eiconig o ddwy ferch ifanc yn ista ar y ffens ar lan y môr yn Blackpool. Mae'r ddwy'n chwerthin yn braf ac mae'r ffotograffydd wedi dal y foment pan ddaeth awel o wynt a chwythu sgert un o'r merched i fyny dros ei phenaglinia. Y ferch honno oedd Pat Stuart, a ddangosodd fwy o'i choesa pan oedd hi'n dawnsio fel aelod o'r Tiller Girls yn y Palladium.

Y noson roeddwn i yng Nghwmaman roeddwn i'n rhannu'r llwyfan efo comedïwr oedd yn galw'i hun yn Billy Breen pan gychwynnodd o yn y busnas. Erbyn iddo ymddangos ar y teledu, ddeng mlynedd yn ddiweddarach, roedd o wedi newid ei enw i Larry Grayson. Doedd cynulleidfa'r clwb ddim yn gyfeillgar o gwbwl ac roedd y piano allan o diwn. Hunllef o noson. A dwi'n cofio Larry Grayson yn dweud, 'Oh, just take the money and run, sweetheart!' Mae'n siŵr gen i fod ambell i 'Shut that Door!' a 'Look at the muck in here!' wedi deillio o ddyddiau'r clybiau.

Roedd gweithio yn y clybiau'n brofiad arbennig ac yn eich c'ledu chi. Dwi'n cofio canu mewn un clwb ym Medlinog a'r meicroffon yn torri. Doedd gen i ddim meicroffon fy hun ond cefais fenthyg un gan ganwr arall y noson honno, Eden Kane, brawd hynaf Peter Sarstedt, un o sêr pop y chwedegau. Wel, 'The show must go on' ac roedd gen i nod i'w gyrraedd o ddeugain o glybiau er mwyn ennill fy aelodaeth yn Undeb Equity. Os medrwch chi sefyll ar lwyfan ac wynebu cynulleidfa swnllyd yn rhai o'r clybiau nos, yna mae canu o flaen unrhyw gynulleidfa arall mewn nosweithiau llawen, rhaglenni teledu neu sioeau mewn theatr yn hawdd. Dwi'n cofio ffrind i mi'n canu unwaith mewn clwb a chynulleidfa swnllyd yn chwerthin o'i blaen.

Ceisiodd yn ofer i'w tawelu a daeth ysgrifennydd y clwb ar y llwyfan, gafael yn y meicroffon a dweud, 'Come on now, folks, give the poor cow a chance!'

Wna i fyth anghofio un daith i'r gogledd ar ddiwedd y saithdegau i ganu yng Nghlwb Tan-y-bont yng Nghaernarfon. Tra oeddwn i'n canu'r gân ola', 'Amazing Grace', dyma ddyn yn cerdded drwy'r gynulleidfa at Geraint wrth y piano a sibrwd rhywbeth yn ei glust o. Geraint wedyn yn gwenu arna i a finna'n dal i ganu, ond ddim yn siŵr beth oedd yr holl fynd a dŵad. Ar ddiwedd y gân, dyma rywun ata i a dweud fod Nhad wedi bod mewn damwain car. Felly dyma'n ni'n gadael, heb *encore*, heb fy nhâl, a mynd yn syth adra at Mam.

Wrth i Nhad yrru o Frynsiencyn i Borthaethwy'r noson honno, roedd 'na gar wedi dŵad o'r cyfeiriad arall yn syth amdano fo. Roedd coes Nhad yn sownd, a galwyd am injan dân i'w ryddhau ac ambiwlans i fynd â fo i'r ysbyty. Oherwydd bod gan fy Nhad frest wan doedden nhw ddim yn medru rhoi llawdriniaeth iddo fo'n syth. Bu yn yr ysbyty am wythnosau gan ei fod o wedi malu esgyrn yng nghlun ei goes dde, a bu'n rhaid iddo fo gael platiau yn y goes a saith ar hugain o sgriws i'w cadw nhw yn eu lle. Pan ddaeth o allan roedd o'n gloff ac yn pwyso'n drwm ar ei ffon. Fu bywyd byth yr un fath i Mam a Nhad wedyn.

Pennod 6

'Magic moments'

Er yr holl brofiad roeddwn i wedi ei gael yn y clybiau, roeddwn i'n dal i deimlo mai Margaret Williams o Frynsiencyn oeddwn i, a bod angen i mi ehangu fy ngorwelion. Pan oeddwn i'n gweithio ar gyfres deledu *Be Nesa* yn 1966 (y gyfres gynta i gael cerddorfa fach) efo Ryan a Ruth Madoc, Johnny Tudor a Bryn Williams, ac yn clywed straeon gan Ruth am y gwaith oedd hi'n ei wneud yn ystod yr haf mewn theatrau, mi deimlais y baswn i'n hoffi gwneud hynny. Tawn i'n onest, roeddwn i chydig bach yn eiddigeddus o Ruth am ei bod hi wedi cael cymaint o brofiad y tu allan i Gymru – wedi gweld y byd os mynnwch chi. Felly penderfynais fynd am glyweliadau i'r theatr ar ôl gweld hysbysebion yng nghylchgrawn y *Stage*. Roedd y comedïwr poblogaidd Cyril Fletcher yn chwilio am ferch ar gyfer ei sioe yn Bournemouth, ac roedd 'na glyweliadau'n cael eu cynnal ar gyfer rhan y dywysoges Yasmin yn y pantomeim mwya drwy Brydain ar y pryd, sef *Aladdin* yn yr Hippodrome yn Birmingham. Ac yn wir, cefais y ddau beth.

Roedd Cyril Fletcher yn gwneud tair sioe wahanol bob wythnos ac yn cael y tair sioe yn barod mewn tair wythnos. Lladdfa. Doeddwn i ddim yn hoffi Cyril Fletcher fel person. Er ei fod o'n addoli Betty ei wraig, oedd yn enwog iawn yn ei dydd fel Betty Astell ac yn cydgynhyrchu'r sioeau efo Cyril, doedd o ddim yn gwneud llawer efo'i ferch Jill, oedd hefyd yn y sioe ac yn edrych yn debyg iawn iddo fo. Yn wir, pan oedden nhw'n gwneud panto efo'i gilydd, fo a Jill oedd yr Ugly Sisters, a phan gyhoeddodd o ei hunangofiant doedd 'na ddim ond un paragraff byr yn y llyfr am ei ferch.

Roedd y panto yn yr Hippodrome wedi cael ei weld ar lwyfan y Palladium efo Cliff Richard a'r Shadows ac Una Stubbs yn y cast, ac wedyn roedd yr Hippodrome yn gwneud yr un sioe yn Birmingham, yr un sgript a'r un gwisgoedd. Roeddwn i'n gwisgo dillad Una. Braidd yn brin oedd bronnau Una, a dweud y lleia, felly bu rhaid addasu dipyn ar y gwisgoedd. Doedd Una ddim yn canu llawer yn y sioe yn y Palladium; dawnswraig ac actores oedd hi'n bennaf. Felly ar gyfer yr Hippodrome gofynnwyd i'r Shadows gyfansoddi cân ychwanegol yn arbennig ar fy nghyfer i ar gais y cynhyrchydd. Braint yn wir.

Un o'r enwau mawr yn y pantomeim oedd Lauri Lupino Lane, cefnder i un o sêr Hollywood, Ida Lupino, a'r seren oedd Harry Worth. Roedd o eisoes yn boblogaidd iawn ar y teledu, a phob tro'n cychwyn unrhyw sgwrs drwy ddweud, 'My name is Harry Worth. I don't know why, but there it is.' Yn ogystal â Harry roedd 'na gomedïwr arall yn y panto – Peter Butterworth, un o griw y ffilmiau *Carry On*, a'r *principal boy* oedd Yana. Teithiodd hi efo Bob Hope, a phan ddychwelodd o i America cyhoeddodd ei fod o wedi darganfod ateb Prydain i Marilyn Monroe.

Roeddwn i'n chwarae rhan y dywysoges Yasmin. Roedd Yana yn gwisgo gwisg efo gwddw isel iawn, a sgidia sodlau uchel am ei bod hi mor fychan; mor fychan yn wir pan oeddwn i efo hi ar y llwyfan roedd yn rhaid i mi wisgo sgidia *ballet* er mwyn i mi beidio ag ymddangos yn dalach na hi. Doeddwn i ddim wedi arfer â sgidia o'r fath. Dwi'n cofio cael coblyn o gramp ar y llwyfan un noson a methu symud!

Yn ystod golygfa ola'r pantomeim roedd holl aelodau'r cwmni'n gorymdeithio i lawr i flaen y llwyfan o'r cefn. Roeddwn i'n cerdded efo Yana, a chyn i ni gychwyn cerdded galwodd fi i mewn i'w stafell a rhoi gemau a mwclis a chlust dlysau i mi eu gwisgo DROS fy mhenwisg, gan ddweud, 'To wear in your headress'. Esboniais mor gwrtais â phosib nad oeddwn i ddim isio'u gwisgo nhw gan fod gen i benwisg anferth yn barod. Ond mynnodd, ac wrth gwrs fe aethon nhw'n sownd yn y penwisg. Yn y cyfamser roedd y cast i gyd ar y llwyfan yn disgwyl am Aladdin a Yasmin, a'r rheolwr cefn llwyfan yn gweiddi'n henwau ni, ac o'r diwedd llwyddais i ddŵad yn rhydd a rhedeg am y grisia fyddai'n mynd â ni i'r llwyfan. Dyma gerdded i lawr efo gwên fawr ffals ar fy ngwynab, fel tasa 'na ddim byd wedi digwydd. Ar ôl cau'r llenni, galwodd y cynhyrchydd ni i gyd at ein gilydd a gofyn beth oedd wedi digwydd. Rhoddodd Yana y bai arna i gan ddweud ei bod hi wedi aros ar ôl i fy helpu oherwydd fy mod i'n cael trafferth efo fy mhenwisg! Dyna sut dysgais fod 'na bobol garedig a phobol hollol wahanol yn y busnas.

Un cyngor dwi'n cofio'i gael gan ddau gomedïwr enwog o fewn y diwydiant ar ôl i mi ganu un noson oedd: 'Never walk off to the sound of your own shoes.' Gwell gadael y llwyfan yn ystod cymeradwyaeth, nid ar ôl iddi orffan. Cyngor syml, ond yn rhan o'r broses o fagu profiad a bod yn broffesiynol.

Y flwyddyn honno roedd *Songs of Praise* y Nadolig yn dŵad o Birmingham, a daeth aelodau o'r tîm cynhyrchu draw i'r Hippodrome i'n gweld ni, a chefais fy newis i ganu dwy gân. Pan es i mewn i recordio *Songs of Praise*, pwy oedd yno ond yr actor Robin Bailey, oedd yn edrych i lawr ei drwyn arna i braidd am fy mod i mewn pantomeim ac ynta mewn drama yn y theatr. Ond ar ôl fy nghlywed yn canu 'Ave Maria' gan Gounod, a chlywed fy mod i wedi cael hyfforddiant proffesiynol, roedd o'n glên tu hwnt. Rhyfedd ydi pobol, yntê.

Pan oeddwn i'n chwilio am le i aros yn Birmingham, ddiwedd y pumdegau, cefais le yn Edgbaston am dair wythnos efo Janet Jones, 'Miss Bwrdd Croeso Cymru'. Dau beth dwi'n eu cofio am ei thŷ hi ydi fod 'na grand piano yno ac mai yn nhŷ Janet y gwelais i beiriant golchi llestri am y tro cynta rioed! Wedyn es i aros mewn 'digs' gwely a brecwast efo Thorey Mountain, merch o Wlad yr Iâ oedd yn un o brif ddawnswyr y pantomeim. Tra oeddwn i'n aros efo hi y sylweddolais fod y dawnswyr yn llawer iawn mwy disgybledig na'r actorion yn y pantomeim. Roeddwn i'n ymarfer am rhyw hanner awr cyn dechrau'r sioe ond roedd Thorey yn ymarfer efo'r coreograffydd oedd yn dŵad i'w stafell hi erbyn hanner awr wedi wyth bob bore, tra oeddwn i'n trio cysgu.

Dwi'n cofio mynd adra i Gaerdydd dros Dolig, ac wedyn mynd yn ôl efo Geraint yn y car ar Ŵyl San Steffan a'r eira'n drwch yr holl ffordd. Cyrraedd o'r diwedd a chlywed y newydd fod Yana yn hwyr oherwydd y tywydd mawr ac y byddai'n rhaid i mi fynd ymlaen yn ei lle hi fel Aladdin a merch arall i fynd yn fy lle i fel y dywysoges Yasmin. Wel, roeddwn i bron yn sâl a'm stumog i'n troi. Ond diolch i'r drefn, mi gyrhaeddodd hi efo dim ond deng munud yn sbâr cyn i'r sioe ddechrau.

Yn ystod y cyfnod yma cafodd Geraint alwad ffôn gan y BBC yn ei wahodd am gyfweliad ar gyfer swydd fel cyhoeddwr efo'r gorfforaeth. Roedd 'na bedwar cant wedi trio a Geraint a John Evans gafodd y swyddi. Cawsant dair wythnos o hyfforddiant yn y BBC yn Llundain ac yna dechrau ar eu gwaith yng Nghaerdydd. Yn y pen draw daeth yn Bennaeth yr Adran Gyflwyno. Roedd o'n sylwebu ar y snwcer hefyd a bu'n rhaid iddo fo ddewis beth oedd o am wneud: darllen newyddion a sylwebu ar y snwcer, ynteu bod yn Bennaeth yr Adran Gyflwyno a threulio'r rhan fwyaf o'i amser y tu ôl i ddesg. Doedd o ddim yn ddewis anodd, a thrwy'r wythdegau fo a John Evans fyddai'n sylwebu o Theatr yr Hexagon yn Reading a'r Crucible yn Sheffield.

Yn 1997 penderfynodd ymddeol, os ymddeol hefyd, achos roedd ei lais o'n dal i gael ei glywed ar Radio Cymru yn darllen y newyddion ac yn cyflwyno rhwng rhaglenni. Dyna pryd y cafodd o gyfle hefyd i gyflwyno ar Radio 4 ac wynebu sialens mwyaf ei yrfa sef darllen y *Shipping Forecast*, oedd yn bwysig iawn i forwyr allan ymhob tywydd stormus. Does 'na ddim byd yn 'stormus' am gymeriad Geraint; mor wahanol i fy nhad, oedd yn eithaf ymfflamychol ond yn hwyl eithriadol. Mae Geraint yn *strong, silent* type, fel basa nhw'n ddweud yn Saesneg, ac wedi bod yn gefn i mi yn ystod fy ngyrfa ers y dyddiau cynnar.

Pan oeddwn i efo'r pantomeim a Geraint yn gweithio efo'r BBC, yr unig dro oedden ni'n gweld ein gilydd oedd pan fyddai Geraint yn dŵad i'r theatr, er enghraifft ym mhantomeim *Puss in Boots* yn y New Theatre yng Nghaerdydd. Roedd cael rhan y *principal girl* wrth fy modd. Sandy Powell oedd yn chwarae'r brif ran a Wyn Calvin oedd yn chwarae'r *dame*. Roedd o'n cael ei gyfri'n un o'r *dames* gorau ym Mhrydain mewn unrhyw bantomeim ar y pryd. O, oedd mi oedd o! Mae o yn ei nawdegau erbyn hyn, a dwi'n falch o ddweud ein bod ni'n dal yn ffrindia.

Y canwr pop Craig Douglas oedd y *principal boy*. Pan oeddwn i'n un ar bymtheg, byddwn i'n gwrando arno fo ar y radio yn canu 'She was only sixteen', a flynyddoedd yn ddiweddarach dyna lle'r oeddwn i'n canu am y '*Magic moments, filled with love*', ac yn edrych i fyw ei lygaid o. A wyddoch chi be, roedd Craig yr un mor neis ag oeddwn i wedi gobeithio y bydda fo. Doedd 'na ddim ochor iddo fo, fel byddwn ni'n ei ddweud, ac roedd o'n ofnadwy am dynnu coes. Bob tro wrth fy ngweld i byddai'n dweud, 'Margaret, if you play your cards right, you can have me.'

Ar ddiwedd y sioe roedden ni'n cerdded i lawr o gefn y llwyfan, efo Craig a fi y tu ôl i Sandy Powell oedd yn gwisgo clogyn melfed mawr coch. Bu bron i mi â'i dagu pan 'nes i gamu ar odre'r clogyn a hwnnw'n rhoi plwc sydyn i wddw Sandy a'i ddal o'n ôl am ychydig eiliadau. Roedd 'na ddau arall yn y pantomeim hefyd: Joy Zandra a Manny Francois, y ddau fu'n gyfrifol am roi'r cyfle i Bruce Forsyth ymddangos yn y Palladium am y tro cyntaf, mae'n debyg. Y stori oedd fod brawd Manny yn rheolwr llwyfan y Palladium ers blynyddoedd ac wedi clywed gan Manny fod 'na gomedïwr da iawn o'r enw Bruce Forsyth yn Torquay lle roedden nhw wedi bod yn gweithio. Pan oedd cynhyrchydd un o sioeau'r Palladium mewn tipyn o dwll oherwydd bod un o'r perfformwyr heb gyrraedd, mi soniodd Manny wrtho fo am Bruce Forsyth. Aeth yntau i'w weld o, ac mae'r gweddill yn hanes!

Un o'r sioeau mwyaf poblogaidd ar y teledu yn ystod y saithdegau oedd *Stars on Sunday*, rhaglen gerddorol grefyddol yn cael ei chyflwyno gan Jess Yates. Un o Swydd Gaerhirfryn oedd Jess, ond symudodd ei deulu i Landudno pan oedd o'n hogyn bach, ac ymhen blynyddoedd wedyn symudodd i fyw i'r Ro-wen. Roedd o wedi creu grŵp o gantorion ar gyfer *Stars on Sunday*, cantorion proffesiynol oedd yn canu mewn sioeau yn y West End, rhai o glybiau fel Talk of The Town a'r *Black and White Minstrel show* – a finna. Roeddwn i wedi gweld Jess Yates flynyddoedd ynghynt heb wybod mai Jess Yates oedd o yn 1957 yn Eisteddfod Dyffryn Conwy. Pan wnes i ei gyfarfod o ymhen blynyddoedd roedd o'n gynhyrchydd rhaglen dalent *Junior Showtime* a *Stars on Sunday*. Roedd o'n fy nghofio, ac wrth gwrs roedd o'n gyfarwydd â rhaglenni teledu yng Nghymru, felly, cefais wahoddiad ganddo fo fwy nag unwaith i deithio i Yorkshire Television yn Leeds pan oedd angen cantores arno ar gyfer un o'r rhaglenni. Byddwn ar *Stars on Sunday* bron bob wythnos fel cantores neu efo grŵp o ferched. Byddai Jess yn amal iawn yn holi am y Gymraeg.

Doedd o ddim y person hawsa i weithio efo fo. Gofynnodd i mi unwaith ganu efo criw o blant ar *Junior Showtime*, fi fel Julie Andrews a phlant bach hyfryd fel y Von Trapps. Roedd yr adran wisgoedd wedi rhoi gwisg laes ddu i mi fel yr un roedd Julie Andrews yn ei gwisgo yn y ffilm. Roeddwn i'n teimlo ei bod hi dipyn bach yn rhy llaes a dyma fi'n gofyn i ddynes y gwisgoedd ei chwtogi hi fymryn bach. 'I can. But you know what he's like' oedd ei hymateb. Cyfeiriad oedd hynny at y ffaith fod Jess Yates yn ddyn anodd ac y byddai, fwy na thebyg, yn mynd yn filain os gwelai fod rhywun wedi bod yn newid y wisg. Beth bynnag, cwtogwyd y wisg, a phan ddaeth Jess i mewn i'r stiwdio y peth cynta wnaeth o oedd pwyntio a gweiddi,

'What's that with your skirt?'

'We've shortened it, Jess,' medda finna. 'It wasn't comfortable.'

Dyma fo'n troi ar feistres y gwisgoedd.

'Wardrobe! Unpick this dress and iron it!'

Ac mi fynnodd fod godre'r wisg yn cael ei rhoi yn ôl fel roedd hi. Roedd yn rhaid i mi fynd ar fy mhenaglinia ar lawr, a'r ferch druan efo fi yn gorfod gollwng godre'r wisg a'i smwddio hi yn y fan a'r lle o flaen pawb. Feiddiwn i ddim dweud gair rhag ofn i mi fynd yn emosiynol a methu gwneud y rhaglen. Y munud roedd y rhaglen wedi gorffen es i'r ystafell wisgoedd i chwilio am y ferch, ond roedd hi wedi mynd adra, wedi cynhyrfu'n lân. Es i'n ôl ar f'union i'r stiwdio a dweud wrth Jess yn ddigon uchel i bawb glywed mai fi oedd wedi gofyn am newid y sgert. 'Oh, never mind,' medda fo'n braf. Roedd o wedi llwyddo i anghofio'r cyfan ar ôl i'r recordiad fynd yn iawn. Doedd o ddim yn sylweddoli nad oeddwn i na'r ferch wedi llwyddo i anghofio. Roedd o'n ddyn od iawn, ond yn gallu bod yn glên iawn hefyd a dyna oedd yn ei gwneud hi'n anodd. Taswn i'r teip oedd yn gwylltio mi faswn wedi medru cael ffrae go iawn efo fo. Ond faswn i ddim yn gwneud, rhag ofn iddo fo ddial drwy beidio â rhoi gwaith i mi yn y dyfodol. Roedd rhywun yn derbyn y sefyllfa a chadw'n dawel.

Ond nid dyna wnaeth Kenneth McKellar, tenor poblogaidd iawn ar y pryd. Jess Yates oedd yn cyfeilio i bawb oedd yn ymddangos ar *Stars on Sunday*, ar yr Hammond Organ, offeryn defnyddiol iawn i rywun fel Jess nad oedd yn gallu chwarae pob cân ym mhob cyweirnod. Os oedd o'n cael problem chwarae mewn rhyw gyweirnod neu'i gilydd, y cwbwl fyddai'n rhaid iddo fo wneud oedd gwasgu botwm, a byddai'r Hammond yn gwneud y gweddill ac yn newid y cyweirnod iddo fo! Ar un o'r rhaglenni roedd McKellar yn canu '*Waft her angels through the sky*', ac yn ystod yr ymarfer gwnaeth Jess sylw angharedig am ddatganiad Kenneth, oedd yn gerddor arbennig iawn. Dim lol. Trodd y tenor ar ei sawdl a cherdded allan o'r stiwdio gan adael Jess ar ei ben ei hun efo'i Hammond Organ.

Yn 1974 daeth gyrfa Jess Yates i ben. Ymddangosodd pennawd yn y papur newydd yn dweud, 'The Bishop and the actress'. Gofynnai'r papur sut y gallai dyn oedd yn rhoi'r argraff ar ei raglen ei fod yn dduwiol gael perthynas y tu allan i'w briodas gyda'r actores ifanc Anita Kay. Aeth nifer o wylwyr ffyddlon ei raglen i stiwdios Yorkshire Television i brotestio oherwydd ei ymddygiad anfoesol yn eu golwg nhw, a bu'n rhaid iddo fo gael ei gludo allan o stiwdios Yorkshire Television yn cuddio yng nghist y car.

Ymhen amser daeth i lawr i Gaerdydd i fod ar sioe Wyn

Calvin. Roeddwn i hefyd yn canu ar y rhaglen honno ac roedd o wedi edrych ymlaen at gael rhoi ei safbwynt o am y stori ynglŷn â'i berthynas efo'r actores. Roedd o mewn tipyn o stad ac yn crio ar fy ysgwydd cyn i ni fynd i mewn i'r stiwdio. Mae'n rhaid i mi gyfaddef fod gen i biti drosto fo. Yn anffodus iddo fo, roedd Dorothy Squires ar y rhaglen hefyd, ac mi siaradodd Dorothy mor hir fel na chafodd Jess gyfle i ddweud fawr ddim.

Un arall o sêr y teledu ar y pryd oedd Hughie Green, cyflwynydd *Opportunity Knocks,* a doedd 'na fawr o Gymraeg rhwng Hughie a Jess oherwydd bod Jess yn amau fod Hughie yn cael perthynas efo'i wraig o. Ac yn wir, flynyddoedd ar ôl ei farwolaeth cadarnhaodd prawf DNA amheuon Jess. Nid merch Jess oedd Paula Yates ond yn hytrach merch Hughie Green.

Er fy mod i'n mwynhau perfformio yn y pantomeim yn fawr, doeddwn i ddim yn mwynhau'r teithio na bod oddi cartre. Felly pan gefais gynnig i fod mewn pantomeim yn y New Theatre yng Nghaerdydd roeddwn i'n hapus iawn i dderbyn gan wybod y byddwn i adra bob nos a hefyd yn gweithio unwaith eto efo Stan Stennett, Ivor Emanuel a Wyn Calvin. Roedd y sioe'n cychwyn yn brydlon am hanner awr wedi saith ac roeddwn i'n credu mewn rhoi digon o amser i mi fy hun fod yn barod. Y noson arbennig yma rhoddais gnoc ar ddrws ystafell Ivor. Dim ateb. Felly i mewn â fi. Dyna lle'r oedd Ivor yn gorwedd ar y gadair, yn amlwg wedi cael llond ei groen ar ôl bod mewn sioe foto-beics yng Nghasnewydd. 'Margaret,' medda fo. 'Have a look in my wallet for my chequebook. I can't remember if I've bought a motor-bike or not.' Wel, mi oedd o, ond wrth lwc mi lwyddais i ganslo'r siec. Felly roedd 'na ddau bantomeim yn y theatr y noson honno: y pantomeim yn y cefn efo fi yn trio sobri Ivor drwy dywallt galwyni o goffi i lawr ei gorn gwddw fo, a'r pantomeim go iawn wedi cychwyn ar y llwyfan. Daeth hi'n amser i ni ganu deuawd efo'n gilydd ac mi lwyddon ni rywsut er ei fod o'n pwyso'n drwm arna i, a finna'n ei ddal o i fyny ac yn ceisio canu 'run pryd. Er y troeon trwstan, dwi'n dal i gofio Ivor fel un o fy ffrindia penna: dyn hyfryd a digri dros ben.

Yn ystod y tymor pantomeim yng Nghaerdydd galwodd Wilbert Lloyd Roberts, y gŵr sefydlodd Cwmni Theatr Cymru, a chynnig taith o amgylch Cymru i mi mewn sioe o'r enw *Dawn Dweud*. Sioe oedd hon yn cyfuno llenyddiaeth, barddoniaeth a cherddoriaeth yng nghwmni Aled Gwyn, Jim Parc Nest, John Ogwen, W. H. Roberts, y llefarwr gwych o Fôn, Dafydd Iwan, Beryl Williams, Gaynor Morgan Rees, Meinir Lloyd a finna. Pan oedden ni'n perfformio yn Cross Hands un noson dechreuais deimlo'n sâl, ac ar ôl gweld y meddyg cefais esboniad am y salwch – roeddwn i'n feichiog. Ond doedd 'na ddim cyfle i mi roi fy nhraed i fyny, oherwydd yn dilyn y daith byddwn yn canu mewn cyfres ddwyieithog a chystadleuaeth newydd sbon ar deledu'r BBC – Cystadleuaeth 'Cân i Gymru' / '*Song for Wales*'.

Roedd hon yn gystadleuaeth oedd yn gyfres o saith o raglenni. Roedden ni'r cantorion yn canu cân yn y rhaglen gynta, wedyn roedd y gân fuddugol yn mynd ymlaen i'r rhaglen olaf, sef y rownd derfynol a fyddai'n cael ei darlledu'n fyw trwy Brydain. Fel mae'n digwydd, es i drwodd efo pedair cân, Bryn Williams efo un a'r ddau ohonon ni efo deuawd. Roedd hi'n noson fawr a finna'n feichiog!

Oni bai bod un o ferched yr adran golur yn sefyll wrth law efo gwydraid o ddŵr ac un arall efo pwced i mi fod yn sâl ynddo, dwn i ddim sut baswn i wedi llwyddo i fynd drwyddi. Ydi, mae '*show biz*' yn '*glamorous*' iawn ar brydiau! Ond mi lwyddais i ddŵad drwyddi, oherwydd beth bynnag sy'n digwydd, sut bynnag ydach chi'n teimlo, os ydach chi'n berfformiwr proffesiynol 'The show must go on'. Dyna i chi ymadrodd fathwyd yn ystod yr Ail Ryfel Byd, pan oedd trigolion Llundain yn cario mlaen efo'u bywydau bob dydd er gwaetha'r ffaith fod yr Almaenwyr yn gollwng eu bomiau ar y ddinas. Doedd pethau ddim mor ddrwg â hynny yn stiwdio 'Cân i Gymru' ar y pryd, ond roedd hi'n dipyn o frwydr i ganu efo gwên ar eich wyneb pan oeddach chi mewn gwirionedd yn teimlo fel gwneud unrhyw beth ond canu!

Y cantorion yn y gystadleuaeth oedd: Meic Stevens, Heather Jones, Heulwen Haf, Johnny Tudor, Gillian Thomas (aelod o grŵp y Triban), Bryn Williams (cyn-aelod o'r sioe *The Black and White Minstrels*) a finna, efo Ronnie yn cyflwyno. Un o'r caneuon i mi fynd drwodd i'r rownd derfynol efo hi oedd 'Y Cwilt Cymreig'. Saesneg oedd dwy o'r caneuon eraill, a dydw i ddim yn cofio'r gân Gymraeg arall roeddwn i'n ei chanu. 'Y Cwilt Cymreig' enillodd. Cân oedd hi'n cymharu Cymru â'r cwilt Cymreig, wedi ei chyfansoddi gan Dr Llifon Hughes-Jones a'r geiriau gan Megan Lloyd Ellis. Roedd hi'n gân swynol ac yn rhoi darlun o'r cyfnod i ni, ond erbyn heddiw mae'r geiriau'n hen ffasiwn braidd, 'Mae Cymru fach yn debyg i gwilt hen ffasiwn Nain'.

Ar ôl cwblhau'r gyfres bu'n rhaid i mi fynd i'r ysbyty oherwydd fy mod i'n dal i fynd yn sâl ac yn dal i daflu i fyny drwy'r amser. Yr enw meddygol ar y cyflwr ydi *hyperemesis gravidarum*. Felly os byddwch chi'n cystadlu mewn cwis a'r cadeirydd yn gofyn, 'Beth sydd gan Margaret Williams a Kate Middleton yn gyffredin?', fe wyddoch yr ateb. Mewn geiriau syml, fedrwch chi ddim stopio taflu fyny pan ydach chi'n feichiog, ac mi wnewch chi hynny tua hanner cant o weithiau'r diwrnod. A dydi o ddim fel salwch boreol – y *morning sickness* – achos does 'na ddim ysbaid rhwng y cyfnodau o fod yn sâl.

Pennod 7

'O ble gest ti'r ddawn?'

Dwi'n cofio bod Ryan ac Irene, ei wraig, wedi dŵad acw i
fy ngweld ac roedd Ryan wedi dweud y gallai broffwydo
pryd oedd y babi yn mynd i gyrraedd ac ai bachgen neu ferch
fydda fo, a hynny drwy ddal ril o edau uwchlaw fy mol i. Felly
dyna lle roeddwn i'n gorwedd ar y llawr a'r pedwar ohonon ni,
Irene a Geraint a Ry a finna, yn gwylio'r ril 'ma'n symud yn ôl ac
ymlaen fel pendil cloc. Yn y diwedd dyma Ryan yn cyhoeddi'n
hollol ffyddiog, 'Ti'n mynd i gael merch ar ddydd Nadolig.' Y
noson honno bu'n rhaid i mi fynd i'r ysbyty. Y noson ganlynol,
diolch i'r drefn, cyrhaeddodd Iwan fis yn gynnar, ar y seithfed ar
hugain o Dachwedd yn hytrach na dydd Dolig fel roedd o i fod.
Doedd 'na ddim amheuaeth nad oedd Ryan yn dalentog, ond
nid proffwydo'r dyfodol oedd un o'i gryfderau o! A dwi'n amau
a fyddai 'na unrhyw un, gan gynnwys Ryan, wedi proffwydo y
byddai'r babi bach yn ennill pencampwriaeth *poker* y byd ryw
ddiwrnod, ond mi wnaeth.

Dangosodd Iwan hefyd maes o law ei fod o cystal â'i Dad
am chwarae snwcer, ac yn sgil y ffaith fod Geraint yn sylwebu
gymaint ar y gêm ac yn nabod y chwaraewyr yn dda cafodd Iwan
gyfarfod â'r sêr. Yn wir, daeth tad Steve Davies ato fo ar ôl ei weld
o'n chwarae a dweud fod 'na groeso iddo fo ymarfer ar fwrdd
preifat Steve, y mab, os oedd o'n dymuno. Mewn pencampwriaeth

i chwaraewyr snwcer proffesiynol Cymru a'r amaturiaid gorau – y 'Pro Am', yng Nghaerffili – enillodd Iwan drwy guro Lee Walker yn y gêm derfynol. Daeth ar draws yr enwog Ronnie O'Sullivan yn ei dro, a'i guro ynta hefyd, ond dim ond pedair ar ddeg oed oedd O'Sullivan ar y pryd.

Roedd Iwan â'i fryd ar fod yn chwaraewr proffesiynol. Er mwyn ennill arian i'w gynnal yn y gêm cafodd waith yn ystod Pencampwriaeth Snwcer y Byd yn Sheffield yn cynorthwyo'r cyn-chwaraewr rygbi rhyngwladol, Dewi Bebb. Yn anffodus, bu'n rhaid iddo fo roi'r gorau i'r freuddwyd o fod yn chwaraewr snwcer oherwydd ei fod o wedi datblygu cyflwr sy'n cael ei adnabod wrth yr enw rhyfedd iawn 'yips.' Mae chwaraewyr fel Steve Davies a Stephen Hendry wedi dioddef o'r cyflwr hefyd, sy'n golygu na fedrwch chi daro'r bêl yn gywir efo'r ffon gan fod eich braich yn ysgwyd yn sydyn a dirybudd neu'n rhewi, ac felly mae'n amhosib i chi symud y *cue*.

Yn ystod y cyfnod yma, fodd bynnag, roedd Iwan wedi ymddiddori mewn *poker* a dechreuodd chwarae'n broffesiynol a gwneud yn reit dda. Ei gystadleuaeth fawr gynta oedd yr un yn Llundain, oedd yn agored i chwaraewyr o bob rhan o'r byd. Roedd hi'n costio deng mil o ddoleri i chwarae a bu'n ddigon ffodus i gael tri o noddwyr oedd yn gweithio efo fo yng nghwmni TWI yn Llundain ar y pryd. Yn ystod y gêm roedd o'n ffonio'i dad efo'r newyddion diweddaraf. 'Yn y deuddeg ola.' 'Dim ond pedwar ar ôl yn y gêm a dwi'n un ohonyn nhw.' Ar ddiwedd y tridiau roedd o wedi cyrraedd y rownd ola, ac aeth yn ei flaen ac ennill y bencampwriaeth. Roedd o ar ben ei ddigon.

Ar y dechrau doeddwn i ddim yn siŵr oeddwn i isio iddo fo fynd i chwarae *poker*, ond wedyn ei fywyd o oedd o, ac roedd o'n gwneud yn dda. Chwadal ynta, 'Mae isio tipyn o ben i chwara *poker* a churo'r goreuon.'

Prin fis oedd 'na rhwng genedigaeth Iwan a recordio fy nghyfres gynta i BBC Cymru. Dwi'n cofio mai un o fy ngwesteion yn y rhaglen gynta oedd Charles Williams, ac yn ystod y sgwrs dyma Charles yn troi'r drol arna i ac yn dweud fod ganddo dâp oedd o am i mi ei glywed. Wyddwn i ddim byd am hyn, ond tâp oedd o ohona i yn bymtheg oed yn canu mewn steddfod yn Sir Fôn. Roedd Charles a'r cynhyrchydd Hywel Williams wedi cadw'r cyfan yn gyfrinach yn ystod yr ymarfer. Dwi'n cofio hefyd fod Ryan a Ronnie wedi picio i mewn i ddymuno'n dda i mi, achos roedden nhw ar fin recordio eu cyfres gynta nhw ym mis Mawrth.

Roeddwn i'n ffrindia mawr efo Ryan a Ronnie, ac yn gymydog i Ryan. Dwi'n cofio Ronnie yn cael cyfres sgwrsio ar BBC Wales o'r enw *Late Call*. Cyfres oedd hon yn gwahodd artistiaid enwog fyddai'n dŵad i glybiau nos y brifddinas, yn enwedig i Tito's, clwb go grand gyferbyn â'r New Theatre. Gan fy mod i'n perfformio cân ym mhob un o'r rhaglenni byw, byddwn yn cael cyfarfod â'r enwogion i gyd. Dwi'n cofio'r Beverley Sisters, Jimmy Edwards, a fy ffefryn o bawb a ddaeth yno oedd Dave Allen. Daeth Shirley Bassey ar y rhaglen, ond roedd hi'n recordio'i rhan yn y pnawn, felly welais i mohoni, gwaetha'r modd. Ond dwi'n cofio Ronnie yn dweud iddo'i chyfarch 'Hello, Shirley!' ond ni chafodd na gwên na chydnabyddiaeth o'i gyfarchiad ganddi. Dyma Ronnie yn trio eto a chwerthin yn gyfeillgar, 'Shall I call you Shirley or Miss Bassey?' ac medda hi dan wenu 'Oh! You can call me Miss Bassey!' Mi adroddwyd y stori yna dros ginio gan Ronnie fwy nag unwaith.

Roedd gan Ronnie galon fawr, bob amser â'i law yn ei boced wrth y bar yn barod i dalu am ddiod i unrhyw un. Yn wahanol i Ronnie, doedd Ryan ddim yn un am gymdeithasu yn y Clwb i'r fath raddau. Oedd, roedd o'n ddyn cyhoeddus, ond oddi ar y llwyfan, neu ar ôl gorffen recordio, roedd yn well ganddo fo gwmni ychydig o ffrindia agos yn hytrach na llond stafell o bobol ddiarth. Ar ôl gwneud y rhaglen byddai'n mynd adra'n syth. Yn y dyddiau cynnar roedd pethau'n wahanol. Dwi'n cofio Gwenlyn Parry yn dweud pan oedden ni'n ista yn y cantîn a Ryan yn dŵad i mewn, 'Gwatshia di Ry. Fedar o ddim ordro panad fel pawb arall.' Roedd yn rhaid i Ryan ddweud jôc neu dynnu coes y ferch y tu ôl i'r cowntar achos i Ryan roedd un ferch oedd yn barod i chwerthin yn gynulleidfa.

Roedd Irene, gwraig Ryan, yn ofalus iawn ohono, yn rheolwr iddo fo ar y cychwyn yn ogystal â gwraig. Hi fyddai'n gofalu am ei ddyddiadur a gwneud yn siŵr fod ganddo bopeth roedd o'i angen cyn mynd i'r stiwdio neu i gyngerdd yn barod wrth law. Doedd dim rhaid i Ryan boeni am ddim byd ond bod yn Ryan Davies a pherfformio. Roedd Einir, gwraig Ronnie ar y pryd, yn fwy hamddenol ei ffordd, a phan fyddai'r ddau'n dŵad oddi ar y llwyfan ar ddiwedd cyngerdd, canmol fyddai Einir bob tro. Irene fyddai'r un efo'r sylwadau am y perfformiad.

Roeddwn i'n gwybod am Ryan ers dyddiau'r Normal achos byddai Geraint yn cyfeilio i gwmni Noson Lawen y coleg, Ryan a Rhydderch a Phyl Hughes, a phan na fyddai Phyl ar gael byddai Geraint yn canu bas yn ei le o. O'r Normal, aeth Ryan i Lundain i ddysgu. Roedd o'n hynod o weithgar efo Clwb Cymry Llundain yn canu ac yn actio ac yn ymddangos ar y radio hefyd. Ymhen hir a hwyr, perswadiodd Merêd o i adael Llundain a'r byd addysg ac ymuno â'r BBC. Roedd Ryan fel band un dyn: yn canu, actio, sgwennu'r sgript ac yn gyfarwyddwr cerdd.

O dan arweiniad Merêd y crëwyd Adran Adloniant Ysgafn gan y BBC yng Nghymru. Wrth roi teyrnged i Merêd flynyddoedd yn ddiweddarach am ei waith arloesol dywedodd Geraint Stanley Jones mai'r hadau a blannodd Merêd yn y BBC a dyfodd yn y pen draw i fod yn Sianel Deledu Gymraeg S4C. Roedd o'n brofiad cyffrous iawn cael bod yno ar y dechrau, pan oedd popeth mor newydd.

Dechreuodd Merêd gyfres *Hob y Deri Dando* ar ôl sefydlu cyfres *Stiwdio B*. Gwnaed i'r stiwdio edrych fel ysgubor efo bêls gwair a chael llond y lle o bobol ifanc o wahanol ardaloedd o Gymru yn gynulleidfa a chnewyllyn ohonon ni i fod yn gantorion 'parhaol', hynny ydi, roedden ni ym mhob rhaglen o'r tair cyfres a gafwyd. Ymhlith y cantorion roedd y Triban (ffefryn mawr gan Merêd), a'r Hennessys, Aled a Reg a finna. Byddai gwahanol artistiaid yn cael eu gwahodd i ymddangos ar y rhaglen, pobol fel Meic Stevens, Heather Jones, Mari Griffith, Hogia'r Wyddfa, Dafydd Iwan a llu o berfformwyr dawnus eraill. Merêd ei hun oedd yn cyflwyno'r gyfres gynta ac yn canu ambell waith hefyd. Cefais y fraint o ganu deuawd efo fo fwy nag unwaith. Ryan ddaeth i gyflwyno'r ail gyfres, ar ôl symud yn ôl i Gymru o Lundain, a daeth Glan Davies i gyflwyno'r gyfres olaf.

Pan oedd Ryan a Ronnie yn eu hanterth a phob neuadd yng Nghymru'n llawn, byddai'r cyngerdd yn parhau ambell waith yn y dafarn agosaf, efo Alun Williams wrth y piano. Ond erbyn y diwedd roedd iechyd Ryan yn gwaethygu, ac yn aml ar ôl dŵad oddi ar y llwyfan byddai mewn cornel yn ei gwrcwd yn anadlu'n drwm a rhwbio'i frest. Roedd hi'n drist ei fod o a Ronnie wedi gwahanu, oherwydd fel '*straight man*' i Ryan roedd Ronnie yn wych, ac yn actor da iawn hefyd.

Anghofia i fyth yr adeg es i garchar Caerdydd efo Alun Williams a Ryan i ganu i'r carcharorion. Ddaeth Ronnie ddim efo ni'r noson honno achos ei fod o'n dioddef o glawstroffobia.

Fyddai Ronnie byth yn teithio mewn awyren chwaith, am yr un rheswm. Beth bynnag, daeth fy nhro i i ganu, ac roedden ni wedi cael sgwrs ymlaen llaw i wneud yn siŵr fod y caneuon yn addas. Felly, wnes i ddim canu 'Don't fence me in' na 'I'm a prisoner of your love'. Ond yn anffodus aeth un gân drwy'r rhwyd. A pha gân oedd honno? 'If I only had time.' Roedd y carcharorion a'r wardeiniaid yn glana' chwerthin ac yn curo dwylo. Wel, o leia wnes i ddim canu 'Bless this house'!

Roedd hi'n hwyl mynd allan efo Ryan, ac roedd yntau'n mwynhau canu ar ei ben ei hun a chanu deuawdau fel 'Hywel a Blodwen' efo fi a bob amser yn gwneud ei orau i nghael i i chwerthin. Dwi'n ein cofio ni'n cynnal cyngerdd yn Nhreuddyn, Sir y Fflint, a chwarae teg, roedd 'na nifer dda o bosteri o gwmpas y pentra'n hysbysebu'r cyngerdd. 'Cyngerdd yn y Neuadd heno gyda Ryan Davies a Margaret Williams'. O dan y pennawd roedd 'na lun mawr o Ryan a mwnci yn ei freichiau! Roedd y neuadd dan ei sang, ond cafodd y rhai brynodd docyn gan obeithio gweld y mwnci eu siomi dwi'n siŵr.

Fedra i ddim meddwl am Ryan a Ronnie heb gofio mai yn eu cwmni nhw y cefais i *chicken Kiev* a *cannelloni* am y tro cynta, yn ôl yn y saithdegau. Yn Llundain roeddwn i ar y pryd pan oedd y ddau'n recordio'u sioe yn Saesneg. Roedden ni'n aros efo'n gilydd yn Paddington ac yn mynd draw i stiwdios y BBC yn Shepherd's Bush i ymarfer a recordio. Ar ôl y sioe roedden ni'n mynd i fwyta i'r lle Eidalaidd 'ma roedd Richard Burton wedi sôn amdano fo wrth Ryan. Roedd y bwyd a'r cwmni, fel y basa chi'n disgwyl, yn dda iawn.

Dwi'n cofio gweld Linda Thorson yno un noson. Hi oedd yn chwarae rhan Tara King yn y gyfres *The Avengers*. Dro arall, yng nghlwb y BBC, roedd Morecambe a Wise yn cael diod ar ôl recordio'u sioe nhw. Roedd Ryan a Ronnie yn daer awyddus i'w cyfarfod nhw. Ond er i rywun o'r tîm cynhyrchu fynd â nhw draw i'w cyflwyno i Morecambe and Wise, chawson nhw fawr o groeso. Roedd Eric ac Ernie yn gadael Morecambe and Wise ar ôl yn y stiwdio. Tipyn o siom i ni i gyd.

Dwi'n cofio mod i'n cael pleser yn dweud wrth Mam a Nhad mod i'n mynd i fod mewn sioe efo rhywun enwog, ond iddyn nhw doedd o ddim yn fwy enwog na chystadleuydd mewn eisteddfod fel Elwyn Hughes, neu Stewart Jones. Bob tro byddai Mam yn gweld Morecambe and Wise ar y teledu, a miliynau'n eu gwylio ac yn rowlio chwerthin, byddai Mam yn dweud, 'Wel, dwn i ddim pwy sy' wedi deud wrth y ddau yma eu bod nhw'n ddigri.' Neu mi fyddai hi'n dweud, 'Welish i erioed ddim byd yn y ddau yma.' I Mam a Nhad roedd Ryan a Ronnie cystal bob tamaid, yn enwedig pan fyddai Ryan yn gwisgo fel Phyllis y barmaid. 'Helô, cariad. Shwd y'ch chi? Chi'n joio? Na ni. Very good. Cofiwch nawr, pan chi'n werthin dangoswch ych dannedd. Na! Na, peidiwch â'u tynnu nhw mas, fenyw!'

Dwi'n dal i gofio un sgets lle'r oeddwn i'n actio wyres Ryan, ac ynta'n hel atgofion fel hen hen gyrnol yn ista yn ei gadair a finna'n ista wrth ei ochr o tra oedd o'n canu'n dawel 'Ah yes, I remember it well...' Byddai'r gân yn gorffen efo fo wedi mynd i gysgu a finna'n edrych yn gariadus arno fo ac yn canu'r llinell olaf, 'O gwnaf, mi a'ch cofiaf yn iawn'. Dro arall roedden ni'n canu deuawd allan o'r Merry Widow ar y gyfres Be Nesa. Gallai Ryan droi ei lais at unrhyw gân: clasurol, ysgafn neu ddigri.

Yr ail ar hugain o Ebrill 1977. Dwi'n cofio'r dyddiad yn iawn: diwrnod cyn pen-blwydd Geraint. Canodd y ffôn yn y tŷ a rhywun o'r Adran Newyddion ar y lein yn gofyn yn Saesneg,

'Have you heard the news?' A dyna sut y clywais i am farwolaeth Ryan. Fedrwn ddim credu'r peth. Deugain oed ac wedi mynd.

Roedd y cnebrwng yn breifat, i'r teulu'n unig. Yng ngeiriau ei wraig, Irene, 'Tra oedd Ryan yn fyw, roedd yn rhaid i ni dderbyn fod Ryan yn perthyn i Gymru gyfan. Ond ar ôl iddo fe farw, ni oedd ei bia fe wedyn.' Nid Ryan y comedïwr, yr actor a'r canwr dawnus oedd yn cael ei gladdu ym mynwent Hen Fethel yn y Garnant, ond Ryan ei gŵr a thad ei phlant. Fel 'na roedd Irene yn ei gweld hi. Er na chawsom ni fynd i'r gwasanaeth, aeth y rhai hynny ohonon ni oedd yn nabod Ryan yn dda i'r fynwent i ffarwelio ag o a chafwyd cyngerdd coffa yn Theatr y Grand yn Abertawe oedd fel ail gartre iddo fo.

Un o'r pethau anoddaf i mi erioed eu gwneud oedd canu cân sgwennodd Rhydderch a Ryan efo'i gilydd am 'Hen Geiliog y Gwynt', yn ogystal a chân Ryan 'Pan fo'r nos yn hir'. Roedd 'na ddau Alun yn cyflwyno'r Cyngerdd Coffa: Alun Williams yn Theatr y Grand ac R. Alun Evans yn cyflwyno darllediad byw o'r cyngerdd ar y radio. Roedd R. Alun yn llygad ei le pan ddywedodd o fod 'na ddagrau yn fy llais i pan oeddwn i'n canu.

Yn ddiweddarach penderfynwyd sefydlu cronfa i gofio Ryan, drwy roi cymorth ariannol i berfformwyr ifanc oedd yn dilyn yn ôl ei draed o. Y cyngerdd cyntaf a drefnwyd oedd cyngerdd ym Mhafiliwn Corwen gyda Chymdeithas Corau Meibion Gogledd Cymru, Stuart Burrows a finna, ac fe ddwedyd gair gan un o sylfaenwyr y Gronfa, Pennaeth Rhaglenni BBC Cymru ar y pryd,

> 'Fydd yna byth Ryan Davies arall, ond fe fydd yna unigolion talentog sydd yn gobeithio torri cwys debyg i Ryan, a bwriad y Gronfa hon yw eu cefnogi. Dyna fyddai dymuniad Ryan.'

Iwan a Geraint efo pencampwyr Cymru'r 90au: (o'r dde) Steve Davies,
Terry Griffiths, Dennis Taylor a Niel Foulds.

Rose Marie.

'Principal Boy' *Cinderella*,
Grand Theatre, Wolverhampton

Syr Geraint Evans yn westai ar un o fy
rhaglenni sgwrsio ar Radio Cymru.

Efo Ivor Emmanuel yn
Babes in the Wood.

Adre Dros Dolig, 1977, efo Geraint, Iwan
a Manon.

Geraint a fi efo Molly
a Benny Litchfield.

Barod i forio.

Ar y *Canberra* efo Geraint a fy rhieni.

Geraint a Nhad.

Yn ystafell breifat y Pab John Paul.

Cyfarfod â'r Tywysog Charles yn Drury Lane. Yn y llun mae Ronnie Corbett, Norman Vaughan a Harry Secombe.

Cyfres *Margaret* efo Huw Ceredig a Dafydd Iwan.

Geraint a fi efo Phyllis a Merêd.

Cyhoeddwraig
efo S4C.

Cyfres *Margaret*
ac ymddangosiad
cyntaf Aled Jones.

Manon a'r tenor Arthur Davies yn westeion ar fy rhaglen.

'Fe'th wnaf di yn gyfan drachefn'

Roedd 'na ochenaid o ryddhad yn 1973 pan anwyd Manon: merch at y bachgen bach oedd ganddon ni. Munud roedd hi'n ddigon hen i ista, mi fydda hi'n dringo ac yn ista wrth fy ochor i a dolbio'r piano tra oeddwn i'n ymarfer. A phan fyddwn i'n canu'n uwch, byddai hitha'n gweiddi'n uwch, fel ci Beryl Hall ers talwm! Mi fuodd hi'n canu efo fi mewn *cabaret* pan oedd hi'n ddim ond pedair oed, ac ar y teledu'n gynnar iawn ar fferm y Brwcws yn Ninbych a Manon ar fy nglin yn canu 'Asyn Bychan' ac yn canu BEFF LE HEM, BEFF LE HEM ar dop ei llais.

Yn bedair ar ddeg oed ymunodd hi â'r Cardiff New Opera Group. Aeth y cwmni ar daith yn perfformio opera Benjamin Britten *Turn of the Screw* efo'r gantores opera Menai Davies. Roedd 'na ran i ferch a bachgen ifanc. Ar ôl cael clyweliad daeth Manon ata i a dweud nad oedd hi ddim wedi cael y rhan. Finna wedyn yn ceisio'i chysuro hi drwy ddweud bod yn rhaid anghofio'r siom ac edrych ymlaen at y clyweliad nesa. A dyma hi'n troi ata i, chwerthin a dweud, 'Ond Mam, ddudon nhw bod gen i lais ffantastig.' A chwarae teg, nid canmol ei hun oedd hi ond ailadrodd yr hyn roedden nhw wedi'i ddweud wrthi. Hi ydi'r person olaf fyddai'n ei chanmol ei hun.

Roedd o'n brofiad gwych i ferch ifanc bedair ar ddeg oed deithio efo cwmni a chyfarwyddwr proffesiynol, a dysgu'n gynnar iawn fod y byd canu ac actio mor gystadleuol. Ar ôl bod yn aelod o weithdy HTV a chael cyfnod o actio ar y teledu, cafodd ran mewn cyfres oedd yn cael ei gwneud yn yr Alban, *Take the High Road*, fel Menna, y ferch o Gymru. Roedd hi i fod yn y gyfres am dri mis, ac arhosodd am bum mlynedd.

Mae Manon yn hogan egwyddorol iawn, fel y dangosodd erthygl amdani hi a'i ffrind Dathyl ar dudalen flaen papur bro Caerdydd, *Y Dinesydd,* o dan y pennawd 'Welsh Not' yn y Beverley. Gwesty ar Heol y Gadeirlan yng Nghaerdydd ydi'r Beverley ac roedd y ddwy'n gweithio yno'n rhan amser ac yn siarad efo'i gilydd yn Gymraeg. Dywedwyd wrthyn nhw gan y perchennog am beidio â siarad yn Gymraeg yng ngŵydd cwsmeriaid, er bod rhai o'r cwsmeriaid wedi dweud ei bod hi'n braf clywed yr iaith yn cael ei siarad. Trefnwyd protest gan Gymdeithas yr Iaith a chafwyd cefnogaeth annisgwyl i'r merched gan y Barnwr Pickles, nad oedd yn credu y dylai'r merched fod yn y fath bicil. Gadawodd y merched eu swyddi mewn protest. Maen nhw'n dweud, yn tydyn, nad oes 'na'r fath beth â chyhoeddusrwydd gwael. Ella bod hynny'n wir, oherwydd mae Manon erbyn hyn yn gweithio i'r BBC yng Nghaerdydd fel cynhyrchydd yn yr adran sy'n hyrwyddo rhaglenni, ac mae hi a Phil yn rhieni i ddau o blant, Wili Jon sy'n saith oed, a Nelimai sy'n bedair.

Pan oeddwn i'n disgwyl Manon yn 1973 doeddwn i ddim yn siŵr a faswn i'n cario mlaen i berfformio ar ôl cael plentyn arall. Ond canodd y ffôn. Mae'n rhyfedd fel mae'r ffôn yn aml iawn yn canu ar gyfnod o ansicrwydd yn eich bywyd a'r llais yn y pen arall yn chwalu'r amheuon. Cwmni HTV oedd ar y lein yn gofyn a faswn i'n hoffi gweithio i'r cwmni fel cyhoeddwraig. Sialens newydd i mi! Ar ôl ei derbyn hi gofynnwyd i mi gyflwyno *Welsh Notes,* rhaglen oedd yn cyfuno sgwrsio a chanu. Un o'r gwesteion oedd Tom Waite, enillydd cyntaf sioe dalent newydd *New Faces*. Gofynnais i Ryan fod yn westai cyntaf i mi ynghyd â chanwr o Lundain, Alan Charles, oedd wedi bod yn cynrychioli tîm Cymry Llundain yn nyddiau *Sêr y Siroedd*. Tra oedden ni'n dau yn ymarfer y ddeuawd 'La ci darem la manno' allan o *Don Giovanni*, pwy ddaeth i mewn i'r stiwdio ond Syr Geraint Evans. Arhosodd i wrando arnon ni a medda fo, 'Do you know what, you fill that screen with beauty and niceness'. Ella mai cyfeirio at *niceness* Alan oedd o, cofiwch, ond beth bynnag, roedden ni'n dau yn teimlo'n nerfus iawn yn ei gwmni o. Syr Geraint Evans, un o faritoniaid mwya'r byd, yn rhoi dosbarth meistr i ni yn y fan a'r lle! Ond er ei fod o'n fyd-enwog roedd o hefyd y gŵr mwyaf annwyl a diymhongar y gallech chi fyth ei gyfarfod.

Asiant Tom Waite oedd William Morris, oedd yn gweithio i M.A.M. (Music and Management) sef asiantaeth Gordon Mills, Engelbert Humperdinck a Tom Jones. Yn ystod sgwrs efo Tom Waite dros baned yn y cantîn awgrymodd y dylwn i fod yn canu mewn sioeau cerdd. Ymhen rhyw bythefnos cefais alwad ffôn ganddo'n dweud fod y Grand Theatre, Wolverhampton yn mynd i gynhyrchu sioe gerdd enwog iawn o'r enw *Rose Marie* a'u bod nhw'n chwilio am gantores i chwarae Rose Marie; cyfle gwych i mi, medda fo, yn canu'r brif ran. Roedd y sioe'n mynd i deithio i rai o theatrau mwya Prydain. Ond er fy mod i wedi bod ar lwyfan y pantomeim, ar y radio ac ar y teledu, doeddwn i ddim yn awyddus iawn i fynd amdani. Ffoniodd yr asiant dwn i ddim faint o weithiau, ac roedd Geraint hefyd yn ceisio fy mherswadio, ond wnawn i ddim. Un bore ffoniodd yr asiant. Roedd o'n amlwg yn flin iawn, 'You call yourself a professional singer? You're being offered a wonderful job any singer would want, and you're refusing it?'

Yn y diwedd, ar ôl cael fy mherswadio gan Geraint, cefais gyfarfod efo'r cynhyrchydd, Humphrey Stanbury, a seren y sioe, John Hanson, un o enwau mawr y cyfnod ym myd y sioeau cerdd, a derbyniais y rhan. Roedd o'n ddyn golygus fel un o'r *matinee idols* yn y sinema ers talwm, ac wedi treulio chwe mlynedd yn y brif ran yn y sioe *Desert Song* yn theatr y Prince of Wales yn y West End yn Llundain.

Mi wnes i dipyn o ffrindia efo un o aelodau'r cast na fyddech chi yn ei chysylltu efo sioeau cerdd, ond yn hytrach efo gwersyll gwyliau. Sue Pollard oedd hi, a ddaeth yn enwog fel Peggy yn y gyfres deledu boblogaidd *Hi-de-Hi*. Cefais lot fawr o hwyl yn ei chwmni hi, yn enwedig pan oedden ni'n siopa yn y gwahanol ddinasoedd.

Doedd y cynhyrchydd ddim yn gadael i ni ddefnyddio meicroffons, ac roedd hynny, wrth gwrs, yn rhoi straen ar y llais. Dwi'n cofio Stuart Burrows yn dŵad i'n gweld ni yn Wimbledon ac yn dweud wrtha i, 'You wouldn't do this in opera, sing eight times a week non-stop for six months. It's very strenuous.' Ond beth bynnag am hynny, roeddwn i wrth fy modd yn chwarae rhan Rose Marie. Ar wahân i gwta chwarter awr ar ddechrau'r sioe, roeddwn i ar y llwyfan drwy'r amser, yn gwneud wyth o sioeau'r wythnos am chwe mis heb golli'r un perfformiad, ac roedd 'na gant wyth deg dau ohonyn nhw!

Yn ystod y cyfnod prysur yma o deithio roedd cael Yncl Eric ac Anti Sal i ddŵad efo mi i ofalu am Manon ac Iwan yn fendith. Chwarelwr oedd Yncl Eric yn Chwarel Dinorwig, fel fy nhad i a thad Geraint. Daeth Yncl Eric ac Anti Sal i fyw i Benderyn yr un amser ag oedden ni'n symud i Gaerdydd, a chafodd Yncl Eric waith yn chwarel Penderyn am gyfnod. Pan roddodd o'r gorau iddi hi daeth i lawr i weithio yn Sain Ffagan, a dyna lle'r oedden ni'n byw, wrth gwrs. Doedd ganddyn nhw ddim plant eu hunain, felly roedden nhw fel Nain a Taid i Iwan a Manon, ac roedden ni fel un teulu mawr efo'n gilydd yn teithio o le i le.

Yn ystod y daith, byddwn i'n cael gwahoddiad i ymddangos ar wahanol raglenni er mwyn rhoi cyhoeddusrwydd i'r sioe. Yn Birmingham roeddwn i ar raglen efo James Herriot, awdur y llyfr *All Creatures Great and Small,* a gafodd ei addasu'n gyfres deledu lwyddiannus yn ddiweddarach. Dro arall, yn yr Alban, roeddwn i'n westai efo Mary Chipperfield, un o berchnogion syrcas enwog Chipperfield. Ar ôl i mi ganu roeddwn i wedyn yn mynd i ista wrth ochor Mary a'i ffrind – clamp o lewpart mawr! Er bod Mary wedi fy sicrhau fod y llewpart yn gyfeillgar iawn, roeddwn i braidd yn bryderus rhag ofn nad oedd o'n hoffi pobol o Sir Fôn.

Ddwy flynedd ar ôl i mi fod yn Rose Marie penderfynwyd rhoi syrpréis i John Hanson drwy gael Eamonn Andrews i gyflwyno llyfr mawr coch *This is Your Life* iddo fo. Cefais inna wahoddiad i gyfrannu i'r rhaglen. Daeth Rolls Royce i fynd â fi mewn steil i'r stiwdio, lle'r oeddwn i'n ista wrth ochor un o'r comediwyr radio mwyaf poblogaidd ar y pryd, sef Ted Ray. Syniad *This is Your Life* oedd fod rhywun adnabyddus yn cael syrpréis a bod Eamonn Andrews yn adrodd ei hanes allan o'r llyfr mawr coch, gan alw ar bobol oedd yn nabod John Hanson yn yr achos yma i ddweud rhywbeth ysgafn amdano fo.

Stori fach oedd gen i am deithio efo Sue Pollard yn y car o Glasgow i Bournemouth, taith oedd yn mynd â ni drwy Lundain. Tipyn o daith. Roedd John wedi sgwennu'r manylion yn glên iawn i mi ar ddarn o bapur ac ar y diwedd wedi dweud, 'When you get to London, turn right at the bank, and then carry on straight.' Daeth fy nhro i ddweud y stori yn theatr *This is Your Life* o flaen cynulleidfa anferth gan roi'r cefndir a gorffen fy stori drwy ddweud, 'Well, the first bank I saw was the Midland. So, we turned right and ended up at the Elephant and Castle!' Roedd y gynulleidfa yn ei dyblau a'r cynhyrchydd ac Eamonn wrth eu boddau. Chwerthin mawr wrth gwrs, gan mai'r 'Embankment' oedd gan John mewn golwg.

Ar ôl *Rose Marie* roeddwn i'n gwneud mwy o waith y tu allan i Gymru: mynd i Douglas, Eil o' Man, i ganu efo Harry Secombe, ac i Gibraltar i berfformio mewn sioe efo Harry Worth. Cefais hwyl garw hefyd yn yr Opera House, Blackpool efo Frankie Vaughan a Kenny Ball and his Jazzmen, ac mewn pantomeim efo Jim Davidson. Dyna i chi un drwg oedd o am chwarae triciau. Dwi'n cofio bod mewn pantomeim yn y Grand Theatre Wolverhampton ac roeddwn i'n canu deuawd, a phwy ddaeth ar y llwyfan y tu ôl i ni ond Jim. Doedd o ddim i fod i ddŵad, ond mi ddaeth. Roedd y gynulleidfa wedi ei weld o, ond gan fod ein cefna ni ato doedden ni ddim yn deall pam roedd y gynulleidfa'n chwerthin. Yn sydyn dyma fo'n gweiddi, 'You vill sing!' Dyma fi'n troi rownd a dyna lle roedd o wedi ei wisgo fel Hitler, efo mwstásh bach du o dan ei drwyn yn gwneud y saliwt. Wyddech chi ddim be fyddai o'n ei wneud nesa. A'r ansicrwydd yna oedd ei apêl o i'w *fans*, wrth gwrs.

Ar ddechrau'r wythdegau aeth cân a gomisiynwyd ar gyfer cyfres deledu gan BBC Cymru i frig y siartiau Prydeinig. Roedd y cyfansoddwr eisoes yn enwog am gyfansoddi cerddoriaeth ar gyfer ffilmiau cowbois fel *Fistful of Dollars* a *Once upon a Time in the West* 1981, ond cyfres dra gwahanol oedd *The Life and Times of Lloyd George*. Ar gyfer y gyfres honno y cyfansoddodd Ennio Morricone 'Chi Mai' ar gais pennaeth Drama BBC Cymru ar y pryd, John Hefin Evans. Y prifardd Tudur Dylan ifanc iawn oedd yn chwarae rhan Lloyd George yn blentyn a

Philip Madoc oedd y Lloyd George mewn oed efo'r mwstásh gwyn, a'i wallt fel mwng llew.

Roeddwn i'n chwarae rhan Lili Jones, ei athrawes ganu o, ond roedd 'na harmoni o fath gwahanol rhwng y ddau hefyd. Mewn un olygfa roeddwn i fod i'w gusanu o ynghanol un o'r gwersi, a fedrwn i ddim! Roeddwn i'n ddeugain oed, oeddwn, ond roedd golygfa garu yn newydd i mi. Mae'n siŵr ei fod cymaint haws i rywun sydd wedi bod mewn coleg drama a chael ei hyfforddi. Roddais i gusan iddo fo? Fedra i ddim cofio! Mae'n siŵr fy mod i.

Roeddwn i'n nabod Phil ers y chwedegau, fo a'i wraig, Ruth Madoc. Dwi'n ei chofio hi'n dweud wrtha i yn y parti ar ddiwedd y ffilmio ei bod hi wedi bod yn ffilmio peilot ar gyfer comedi sefyllfa ac yn gobeithio i'r nefoedd y basa'r gyfres yn cael ei chomisiynu a hitha'n cael rhan ynddi. Doedd dim rhaid iddi boeni. *Hi-de-Hi* oedd y gyfres. Sue Pollard oedd Peggy Ollerenshaw, y forwyn yn y *chalets* yng ngwersyll gwylia Maplins, lle roedd Ruth Madoc fel Gladys Pugh yn deffro'r gwersyllwyr efo'i galwad boreol, 'Hello, campers! Hi-de-Hi!' yn ddi-dor am wyth mlynedd.

Yn ystod yr wythdegau roeddwn i'n actio mewn drama deledu gan T. James Jones, *Y Gyfeillach*. Drama am weinidog yn cael perthynas y tu allan i'w briodas oedd hon, a'r 'gweinidog' oedd Huw Ceredig. Doedd y ffordd roedd o a finna'n cusanu ddim yn plesio George Owen, y cynhyrchydd, 'Na! Na! Ddim digon da!' medda fo ar ei ffordd i lawr y grisia i'r stiwdio. 'Dim digon da! Mae eisiau lot mwy o deimlad, llawer iawn mwy nwydus.' Beth bynnag, mi lwyddon ni yn y diwedd i blesio'r cyfarwyddwr, ac yn bwysicach plesio John Hefin a Gwenlyn oedd wedi gweld y ddrama, ac ar sail fy mherfformiad, os nad fy nghusanu, yn cynnig rhan i mi yn yr opera sebon *Pobol y Cwm*. Roeddwn i'n chwarae rhan Beti Griffiths, y brifathrawes, gwraig David Lyn, oedd yn ffarmwr. Lladdwyd cymeriad David yn yr opera sebon drwy ddamwain tractor, ac roedd yr actor Dic Hughes yn cynnal y gwasanaeth angladdol yn y tŷ efo'r caead oddi ar yr arch a ninna'r cast yn gorfod galaru. Bu'n rhaid gwneud yr olygfa drosodd a throsodd, a phob tro pan oedden ni'n stopio byddai Dewi Pws yn taro'r arch ac yn dweud, 'Won't be long now, David bach.'

Yn ystod y cyfnod yma roedd y gwaith roeddwn i'n ei gael yn amrywiol iawn: athrawes ysgol yn *Joni Jones*; yn ail wraig i Stewart Jones, Ifas y Tryc; yn wraig i John Ogwen yn *Lleifior*; cael rhannau comedi mewn cyfresi fel *Cyw Haul* a *Porc Peis Bach,* ac yn berchennog gwesty yn nrama deledu *Chwarae Mig* gan Eigra Lewis Roberts efo Rachel Howell Thomas (person roedd gan bawb ym mhobman barch mawr tuag ati) yn forwyn fach i mi! Mi fues i hefyd yn wraig i J. O. Roberts a'r ddau ohonon ni'n rhieni i Morfudd Hughes, oedd yn chwarae'r brif ran yn y ddrama deledu *Maria*. Mewn un olygfa a saethwyd yn Aberdaron ym mis Chwefror rhewllyd oer roedd Maria yn cerdded i mewn i'r môr yn y nos gyda'r bwriad o'i lladd ei hun, ac yn naturiol roedd yn rhaid i John a finna redeg i mewn ar ei hôl hi. Yn ffodus iawn roedd ganddon ni ddillad isa cynnes, ond mi gerddodd Morfudd i mewn i'r môr yn gwisgo dim byd ond coban fach sidan ysgafn. Roeddwn i'n llawn edmygedd ohoni.

Cefais gyfle i wneud nifer o raglenni arbennig ar gyfer y Nadolig. Mi gawson ni'r syniad o fynd yn ôl i'r gorffennol am leoliad i'r rhaglen gynta i fferm y Brwcws, lle'r oeddwn i wedi bod o'r blaen yn y chwedegau yn canu ar *Hob y Deri* efo Hogia'r Wyddfa, Stewart Jones a Charles. *Adre dros Dolig* oedd enw'r rhaglen, efo Geraint, Manon, Iwan a finna a theulu'r Brwcws: Gwyn a Nora (cyfnither i Geraint) a'u plant Ira a Phillip yn dymuno Nadolig Llawen gyda chân a charol i'r teuluoedd oedd yn gwylio'r rhaglen.

I agor y rhaglen roedden ni i gyd o gwmpas y piano wedi'n gwisgo mewn dillad cynnes, pawb ond Geraint oedd, am ryw reswm, yn ista'r tu ôl i'r piano yn ei *dressing gown*, fel tasa fo'n disgwyl i Ymerawdwr Japan gerdded drwy'r drws, neu'n ceisio awgrymu'n gynnil ella mai bore Nadolig oedd hi! Wrth lwc, roedd 'na dipyn go lew o eira wedi disgyn yn ystod yr wythnos, oedd yn plesio'r cyfarwyddwr gan fod pob llun yn edrych mor ddeniadol â cherdyn Nadolig. Ond pan ofynnwyd i mi fynd ar gefn ceffyl i recordio un o'r caneuon yng nghanol yr eira, doeddwn i ddim yn hapus. Doeddwn i ddim yn Shân Cothi, gwaetha'r modd. Roeddwn i'n hapusach ar gefn mul, oedd yn fwy addas o lawer gan fy mod i'n canu am yr asyn bychan beth bynnag!

Christmas with Finland oedd enw rhaglen Nadolig Stuart Burrows a chefais wahoddiad i ganu arni. Ia, yn anffodus 'with Finland' ac nid 'in Finland', felly, chawson ni ddim hedfan allan i'r Ffindir. Ond roedd cantorion o'r Ffindir yn canu caneuon yn eu hiaith eu hunain, ac un o'r cantorion hynny oedd Karita Marjatta Mattila, cantores opera o'r Ffindir ac enillydd cynta cystadleuaeth Canwr y Byd Caerdydd yn 1983. Profiad gwych oedd cael cloi'r rhaglen yn canu 'Joy to the World' efo Stuart.

Yn ddiweddarach roeddwn i'n recordio'r rhaglen Nadolig fy hun ym mis Mai poeth efo dwy goeden Nadolig anferth. Roeddwn i'n canu'r gân gynta, 'Ar gyfer heddiw'r bore', efo Côr Meibion a Chôr Merched Pontarddulais, mewn côt ffwr laes at fy nhraed yn y stiwdio, oedd fel ffwrnes o dan y goleuadau. Roedd gweld côr yn canu mewn stiwdio'n hytrach nag ar lwyfan mewn neuadd yn ddatblygiad newydd yn hanes adloniant ysgafn ar y pryd. Yn ogystal â hynny roedd clywed y corau'n canu caneuon cyfarwydd gan Dolly Parton, Don Williams a'r Beatles wedi eu cyfieithu i'r Gymraeg gan T. James Jones, Meredydd Ifans a Myrddin ap Dafydd yn brofiad newydd i'r gynulleidfa – yn wir, yn brofiad nad oedd nifer o ddarllenwyr *Y Faner* yn ei fwynhau, yn ôl y feirniadaeth gefais i sawl tro.

Dwi'n cofio canu cân gan Hot Chocolate, 'Put you together again'. Neges y gân ydi fod 'na obaith hyd yn oed pan fydd pethau'n dywyll iawn, a'r cwpled sy'n cloi'r gân ydi hwn,

> *I'll lead you out of the darkness and then*
> *I'll put you together again.*

Dyma gyfieithiad Merêd:

> Fe'th dygaf di allan o'r nos ar fy nghefn
> Ac fe'th wnaf di yn gyfan drachefn.

Fe fyddwn i'n falch o ganu geiriau fel 'na ar unrhyw raglen, ar unrhyw achlysur.

Pennod 9

'Trafaeliais y byd'

Roedd 'na ddyn o gwmni enwog P&O Cruise Liners yn y gynulleidfa yn Wolverhampton pan oeddwn i yn y pantomeim. Gofynnodd i mi a fyddai gen i ddiddordeb mewn gweld y byd a chanu yr un pryd, yn fy sioe fy hun? A dyna sut y cefais fy hun ym mis Hydref 1979 ar y *Canberra*, un o'r llongau pleser enwoca, am saith o'r gloch y nos yn yfed coctêls yn swyddfa'r *Cruise Director* ynghanol degau o berfformwyr eraill. Roedd y môr yn gallu bod yn arw. Dwi'n cofio bod mewn un storm lle roedd y tonnau'n torri reit i fyny i dop y llong; cadeiriau'n disgyn i'r llawr fel tasa nhw'n sglefrio ar rew; piano oedd wedi cael ei glymu i'r llawr ac wedi dŵad yn rhydd o'i gadwyni yn llithro o gwmpas yn ddigyfeiriad... Roeddwn i wedi dychryn, mae'n rhaid i mi gyfaddef. Ac eto, pan oedd y môr yn dawel a'r llong yn hwylio yn ei blaen, roedd hi'n nefolaidd ac ar un o'r teithiau yma y cefais gyfarfod â'r Pab.

Roedd y *Canberra* yn hwylio oddi ar arfordir yr Eidal ac yn galw heibio i Civitavecchia, porthladd ryw hanner can milltir i'r gogledd o Rufain. Daeth y gwahoddiad i weld y Pab drwy offeiriad oedd yn teithio i Rufain ar fwrdd y *Canberra* ar ei ffordd, fel y byddai bob Hydref, i gwrdd â'r Pab ar fusnas. Un noson daeth o draw at Tom O'Connor, y comedïwr, a fi a dweud ei fod o wedi mwynhau'r noson yn fawr iawn ac y byddai'n hoffi mynd â nifer ohonon ni i'r Vatican. A felly y bu hi.

Doedd hi ddim byd llai na gwyrth ein bod ni wedi cyrraedd y Vatican yn ddianaf, ar ôl gyrru drwy draffig ofnadwy Rhufain. I mewn â ni i'r Vatican, i fyny grisia tywyll ac i mewn i stafell breifat y Pab. Ar ôl ychydig funudau, dyma'r Pab John Paul yr Ail yn cyrraedd. Mae'n rhaid i mi ddweud, roedd ei weld o am y tro cynta yn mynd â'ch gwynt chi. Roedd Tom O'Connor a'i wraig wrth fy ochor i'n Babyddion pybyr. Fi oedd yr unig Fethodist ymhlith yr ugain ohonon ni. Ysgydwodd pawb ei law o yn eu tro, a phan ddaeth o ata i rhoddodd laswyr yn fy llaw a bendithio fy llais i. Mae'n rhaid fod rhywun wedi dweud wrtho fo'n gynharach pwy oedd pwy, ac ella bod fy enw i ar y rhestr fel 'Margaret Williams, singer'. Tydach chi byth yn anghofio digwyddiad fel 'na.

Ar yr ail o Ebrill 1982 mi glywson ni ar fwrdd y *Canberra* fod rhyfel Ynysoedd y Falkland wedi cychwyn. Pan oedden ni ar fin hwylio heibio Gibraltar gwelem gwch yn dŵad tuag at y llong o gyfeiriad Gibraltar a milwyr arni hi. Ar ôl deall, roedd y capten wedi cael neges i alw heibio Gibraltar. Yn ogystal â'r comedïwr Tom O'Connor, un arall ar y llong efo ni oedd yr amryddawn Ray Allen a fyddai'n taflu ei lais fel Lord Charles, a'i sylw o oedd, 'You'll be alright. There's a Welsh Colony in Argentina.' Ar ôl docio yn Southampton roedd y wasg a'r teledu a phobol y newyddion yn disgwyl y llong. Ray siaradodd efo nhw am ein taith. Ymhen saith niwrnod roedd y *Canberra* ar ei ffordd yn ôl i Ynysoedd y Falkland yn cario milwyr, ac wedi ei haddasu i fod yn ysbyty i ofalu am y milwyr fyddai'n siŵr o gael eu hanafu.

Mae'r rhai sy'n hoffi mynd ar y llongau am wyliau yn gymysgedd ddiddorol o bobol amrywiol iawn: cariadon ar eu mis mêl, parau priod sy'n mynd ar wyliau ar long bob blwyddyn a hynny ers blynyddoedd, pobol enwog iawn, pobol weddol adnabyddus a phobol sydd â stori ddiddorol i'w hadrodd, fel y gwnes i ddarganfod ar fy ffordd i Seland Newydd. Ond i gael yr hanes o'r dechrau, mae'n rhaid mynd yn ôl i Frynsiencyn.

Yn y saithdegau daeth dynes i Frynsiencyn yn chwilio am Alfred Williams, sef fy nhad. Ar ôl holi, mi gnociodd ar ddrws tŷ Mam a Nhad ac esbonio ei bod hi'n dŵad o Rydychen a'i bod hi'n chwilio am hanes ei theulu, ac yn arbennig hanes Jack, sef brawd fy nhad. Pan oedd Nhad yn chwech oed roedd Jack yn ddwy ar hugain ac wedi mynd allan i ymladd yn y Rhyfel Byd Cyntaf. Yn ystod yr amser hwnnw roedd o wedi dŵad yn ôl i Brydain heb ganiatâd i weld ei gariad, ac ar ôl yr ymweliad hwnnw roedd hi'n disgwyl plentyn. Cafodd Nain Glan Braint lythyr oddi wrth y Swyddfa Ryfel yn ei hysbysu bod Jack wedi ei ladd yn Ffrainc ar y cyntaf o Orffennaf, 1916. Ganwyd merch fach i gariad Jack, sef Ellen Augusta, a'r babi hwnnw oedd Ellen, y ddynes oedd rŵan yn nhŷ Mam a Nhad yn ceisio cael gwybodaeth am ei thad hi, sef brawd fy nhad inna.

Bu Ellen a Mam yn llythyru efo'i gilydd am flynyddoedd, ac mewn un llythyr soniodd Mam fy mod i ar fordaith i Seland Newydd. Daeth ateb yn syth gan Ellen yn dweud fod ganddi fab, Alan, yn byw yn Seland Newydd ac y basa hi'n trefnu iddo fo fy nghyfarfod i yn Auckland. Ac felly y buodd hi. Ar ôl docio yn Auckland mi wnes i ei nabod o'n yn syth. Dwi'n cofio meddwl, 'Ew mae o'n debyg i mrawd, Bryniog'. Roedd Alan a'i wraig yn byw mewn byngalo efo *baby grand* yng nghornel un ystafell, felly, roedd hi'n amlwg y basan ni'n dŵad ymlaen yn iawn efo'n gilydd. Roeddwn i mor falch mod i wedi gallu cyfarfod mab Ellen gan ei bod hi wedi cadw cysylltiad agos efo Mam. Ond mae 'na ddiwedd trist i'r stori. Ymhen ychydig flynyddoedd ar ôl iddo ailbriodi a chael y plentyn bach roedd o wedi bod yn gobeithio amdano, bu Alan farw ar ôl trawiad sydyn ar y galon, pan oedd David ei fab yn ddim ond pum mlwydd oed.

Yn wahanol i stori Ellen May, ar un o'r teithiau yma yn Fenis y gwnes i gyfarfod â Jean Alexander, yr actores fu'n actio rhan Hilda Ogden am ugain mlynedd a mwy ar *Coronoation Street*. Doedd hi ddim byd tebyg i'w chymeriad, ond yn hytrach yn dawel, yn hoff o'i chwmni ei hun, yn siarad yn *posh*, yn mwynhau cyngherddau clasurol ynghyd â mynd i'r theatr. Yn naturiol, roeddwn i am gael gwybod mwy am ei phrofiadau yn yr opera sebon boblogaidd, ond roedd rhaid parchu'r ffaith ei bod hi ar wyliau yn rhannol er mwyn dianc oddi wrth Hilda.

Fedra i ddim edrach yn ôl ar fy mywyd heb gofio'r bobol hynny rydw i nid yn unig wedi cael y pleser o weithio hefo nhw, ond drwy gydweithio wedi dŵad yn ffrindia da efo nhw hefyd. Dau o'r rheiny oedd Molly a Benny Litchfield. Cynllunydd gwisgoedd oedd Molly: i TWW yn gynta wedyn i HTV, ac yn olaf bu efo'r BBC am flynyddoedd. Roedd Benny wedi cael swydd gan Merêd fel Cyfarwyddwr Cerdd. Roeddwn i'n nabod Molly ers fy mlynyddoedd cynnar yn y busnas, a dwi'n cofio iddi hi roi gwisg *gingham* binc i mi ei gwisgo ar gyfer fy rhaglen gynta i TWW. Del iawn. Ond roedd hi'n agored o gwmpas y gwddw ac yn dangos dipyn o *cleavage*, wel, gormod a dweud y gwir. Nawn i ei gwisgo hi? Na wnawn!

Beth bynnag i chi, bûm yn ffrindia efo Molly am flynyddoedd wedyn. Roedd hi'n dipyn o gymeriad, mor lliwgar yn wir â'r gwisgoedd roedd hi'n eu cynllunio, a llond stiwdio o hyder ganddi hefyd. Buom ar wyliau yn Sbaen efo nhw, a dwi'n gallu ei gweld hi rŵan yn cerdded ar hyd y traeth yn fanno i gyfeiriad y môr mewn gwisg roedd hi ei hun wedi ei chynllunio – gwisg sidan binc a glas. Cerddodd i mewn i'r môr a'r ffrog yn codi i fyny yn y dŵr uwch ben y tonnau. A dyma hi'n troi rownd yn orddramatig ac yn gweiddi'n uchel, i wneud yn siŵr fod pawb oedd yn ei gweld hi yn ei chlywed hi hefyd, 'Goodbye, world! 'a chario mlaen i gerdded tua'r gorwel! Roedd Iwan a Manon, ac yn wir pawb ar y traeth, yn rowlio chwerthin. Ymhen hir a hwyr aeth hi a Benny i fyw i Majorca a bu Geraint a finna a'r plant draw yno i'w gweld nhw fwy nag unwaith. Dyna ddau oedd yn agos iawn at fy nghalon i.

Daeth cyfle hefyd i hedfan allan i ganu i'r *troops* yn Belize a Saudi Arabia. A dweud y gwir, doedd 'na ddim gwahaniaeth rhwng canu yn Saudi a chanu adra, dim ond bod 'na dipyn mwy o dywod o gwmpas. Yno i ganu roedden ni am ddeg diwrnod, dair gwaith y dydd, felly doedd 'na ddim cyfle i fynd i'r *bazaars* i siopa. A phan dwi wedi sôn am y bobol dwi wedi'u cyfarfod a'r llefydd dwi wedi ymweld â nhw, bydd pobol weithiau'n dweud, 'Wel, doeddech chi'n lwcus yn cael cyfarfod y sêr 'ma i gyd a chrwydro'r byd hefyd.' Oeddwn, ond i mi gwaith o. Doeddwn i ddim yn *star-struck*.

Yn 1982, cefais wahoddiad i theatr Drury Lane yn Llundain i ganu yn y Royal Variety Show. A dweud y gwir, roeddwn i wedi trefnu i fod ar un o'r llongau'n canu ar y fordaith pan ddaeth y gwahoddiad, ond doeddwn i ddim yn teimlo y gallwn i wrthod. Tipyn o anrhydedd oedd cael y fath wahoddiad. Roeddwn i'n rhannu llwyfan efo Syr John Mills, Ronnie Corbett, Norman Vaughan, Syr Derek Jacobi, Roy Castle, Alfred Marks a Harry Secombe, oedd yn ffefryn mawr gan y Tywysog Charles. Y cwestiwn mae pawb yn ei ofyn pan fydda i'n sôn am ei gyfarfod o ydi 'Be' ddudodd o wrthach chdi?' A'r ateb i'r cwestiwn hwnnw ydi, 'Tydw i dim yn cofio!' Ond mi ddywedes i wrtho fo fy mod i wedi ei glywed o'n areithio yn Gymraeg yn Eisteddfod yr Urdd, ond roeddwn i'n tybio y byddai hi'n well i mi beidio sôn am brotest Cymdeithas yr Iaith yn ystod yr araith, rhag ofn iddyn nhw fy llusgo fi i Dŵr Llundain!

Mae'n siŵr fy mod i wedi cael gwahoddiad yn rhannol am fy mod i fel rhyw fath o Vera Lynn o mlaen i a Katherine Jenkins ar f'ôl i yn y blynyddoedd diweddar, wedi bod allan yn diddanu'r milwyr mewn gwahanol rannau o'r byd. Pan aeth Albert, fy mrawd, efo'r Gwarchodlu Cymreig i Suez, roedd o'n gyfnod pryderus iawn i ni fel teulu. Diolch nad oedd teledu i ddangos popeth oedd yn digwydd yno, yn enwedig i Mam. Er nad ydw i o blaid rhyfel, roeddwn i'n teimlo, os medrwn i fel cantores ddŵad â chydig o gysur i aelodau'r Fyddin, i'r 'hogia' sy'n bell o'u cartra, yna roeddwn i'n falch o'r cyfle i wneud hynny.

Do, gwnes fy siâr o deithio yn ystod fy ngyrfa, gan gynnwys dau ymweliad ag America i ganu. Yn 1997 roeddwn i wedi cael gwahoddiad i ganu yng Ngŵyl fawr flynyddol Gogledd America, oedd yn cael ei chynnal y flwyddyn honno ym Milwaukee. Roeddwn i'n canu mewn dwy noson ac yn cyflwyno cyngerdd ar y nos Sadwrn efo'r actor J. O. Roberts, oedd yno hefyd fel aelod o Gôr y Traeth. Roedd Aled Wyn Edwards, enillydd y Rhuban Glas, yno ac Elinor Wigley y delynores, a Dafydd Iwan. Roedd gan Dafydd Wigley ddiddordeb mewn hel achau, gan ei fod yn perthyn i un o gymeriadau lliwgar Chicago, sef Llewelyn Morris Humphreys.

O edrych yn ôl, dwi'n siomedig heddiw na wnaeth Geraint a finna, oherwydd y blinder teithio, fynd efo Dafydd ac Elinor pan gawson ni'r cynnig i fynd i'r Archifdy yn Chicago i ymchwilio i hanes gwreiddiau Llewelyn. Ganwyd Llewelyn yn Chicago ar ôl i'w dad a'i fam, Bryan Humphreys ac Ann Wigley, adael pentra

Carno ger y Drenewydd a hwylio i'r Unol Daleithiau gan obeithio profi'r llaeth a'r mêl yng ngwlad yr addewid. Daeth y mab yn enwog drwy America fel 'Murray the Hump', llaw dde Al Capone. Yn ddiweddarach cyflwynodd Dafydd Wigley ddwy raglen hynod ddiddorol am 'Murray the Hump' ar S4C am ei berthynas teuluol lliwgar.

Dwi'n cofio ffonio adra o fy stafell yn y gwesty ym Milwaukee a'r *operator* yn cynhyrfu'n lân pan ddywedes i wrthi mai o Gymru oeddwn i'n dŵad achos roedd y newyddion teledu newydd gyhoeddi fod Diana, Tywysoges Cymru, wedi cael ei lladd. Bu'r *operator* druan yn siarad yn ddi-stop am hydoedd am Diana. Gwrandewais yn gwrtais, ond ar yr un pryd yn ysu iddi stopio er mwyn i mi gael siarad efo Mam. Ar ben hyn i gyd cefais goblyn o fil ffôn!

Yr ail dro i mi ymweld ag America mi fues i'n canu yn Pasadena a Palm Springs ac mewn gŵyl yn Orange County. Roedd fy nghefnder Trefor (sy'n byw gyda llaw ym Milwaukee) efo Geraint a finna erbyn hyn. Roedd yr ŵyl yn debyg ar ryw ystyr i'n Heisteddfod Genedlaethol ni. Roedd yna glamp o bafiliwn yn ganolbwynt lle roedd yr artistiaid yn canu ac yna'n ymweld â'r stondinau o'i gwmpas lle roedd yr awyrgylch ychydig yn fwy hamddenol. Ar ôl perfformio cefais wahoddiad gan un o'r cyflwynwyr i fynd ar ei raglen grefyddol, oedd yn cael ei darlledu drwy America. Roeddwn i gael sgwrs a chanu'n fyw yno. Ond ar y ffordd i'r stiwdio cawsom ein dal yn nhraffig dychrynllyd Los Angeles. Dyma ffonio'r stiwdio i esbonio fy mod i'n mynd i fod yn hwyr. 'Don't worry,' meddai llais ben arall y ffôn. 'Just pull in, and we'll do it from your car.' A hynny fu. Biti. Mi faswn i wedi licio gweld y stiwdio.

'Mi glywaf dyner lais'

Un noson, ar ddechrau'r wythdegau, roeddwn i'n canu yng nghlwb Double Diamond yng Nghaerffili, lle roedd Ryan a Ronnie wedi perfformio efo'i gilydd am y tro olaf cyn i'r bartneriaeth ddŵad i ben. Yn y gynulleidfa roedd Jac Williams, oedd ar y pryd yn ista yng nghadair Merêd fel Pennaeth Adloniant Ysgafn y BBC. Fore trannoeth cefais alwad ffôn gan Jac yn cynnig cyfres i mi, un o'r cyfresi cyntaf gan y BBC i sianel newydd S4C. Cyfres *Margaret* oedd hon. Cyfarwyddwr Cerdd y gyfres yma oedd y pianydd Ted Boyce: gŵr bonheddig a chyfeilydd ardderchog. Byddai Benny Litchfield bob amser yn dweud, 'If I've got Ted on the piano, I'm happy.' Fel cantores sy'n dibynnu ar gyfeilyddion cadarn a sensitif, mi faswn i'n cytuno fod Ted Boyce ymhlith y goreuon.

Dwi'n ei gofio fo'n cyfeilio i mi pan oeddwn i'n canu cân Rusalka i'r Lloer; gweld y copi unwaith a'i chwarae hi'n syth. Cyffyrddiad ysgafn, ond sicr hefyd. Dwi wedi bod yn ffodus iawn i gael canu efo cyfeilyddion o safon, pobol fel Eluned Douglas Williams, Meirion Williams, Maimie Noel Jones, Annette Bryn Parry, Bryan Davies, Colin Jones, Jeanette Massocchi... Mae'r rhestr yn ddi-ben-draw ac roedd Ted Boyce yn eu mysg.

Un gwestai ar y gyfres gynta honno i S4C oedd bachgen ifanc un ar ddeg oed o Landegfan, Aled Jones. Fedrwn i ddim coelio fod ganddo fo'r ffasiwn lais a hyder tawel. Mi ganodd o 'Rhosyn Rhudd' efo'r gerddorfa am y tro cynta, ac roedd o'n anhygoel. 'Mi glywaf dyner lais' ar yr emyn-dôn Sara oedd y ddeuawd ganon ni efo'n gilydd ac ynta'n canu'r desgant yn y pennill ola. Anghofia i fyth y pleser gefais i o fod yno ar ddechrau'i yrfa.

Rhoddodd y gyfres lwyfan i nifer o dalentau ifanc fel Catrin Finch, a'r canwr mawr o Gaerdydd, Anthony Stuart Lloyd. Roeddwn i wedi dyfarnu'r wobr gynta iddo fo pan oedd o'n bymtheg oed, a phan ddaeth o ar y rhaglen daeth â'r feirniadaeth efo fo. Un arall oedd Delme Bryn Jones, un o'r baritoniaid gorau oedd ganddon ni ar y pryd. Daeth Gaynor Morgan Rees yn westai i mi ac mi ganon ni ddeuawd fel dau o gymeriadau *Pobol y Cwm*. Hi oedd Nerys Cadwaladr a finna oedd Beti Griffiths y brifathrawes. Roedd y geiriau gan Hywel Gwynfryn yn sôn am gymeriadau *Pobol y Cwm* ar y pryd, fel Maggie Post a Sabrina, ac ar y diwedd roeddwn i'n sôn am fynd ar wyliau a Gaynor yn gofyn i mi ar gân, 'O! I ble? I Sir Fôn?' a finna'n ateb, 'Naci, draw i *Dynasty*, dwi'n newid lle 'da Joan!' Cyfeiriad at Joan Collins a *Dynasty*, wrth gwrs, oedd yn gyfres bron mor boblogaidd â *Phobol y Cwm*!

Aeth fy nghyfres i ymlaen tan ddiwedd y nawdegau. Yn 2004, cefais alwad ffôn gan Geraint Stanley Jones yn cynnig cyfres arall i ddathlu chwe deg mlynedd o berfformio'n broffesiynol. Roeddwn i'n ffodus iawn o gael yr hoffus John Quirk yn Gyfarwyddwr Cerdd y tro hwn.

Gwnes dipyn o ffilmio wedi fy ngwisgo fel Madam Butterfly mewn *kimono* a wig a'r gwefusau bach *rosebud* dela welsoch hi erioed. A ble roeddwn i yn y wisg Siapaneaidd? Yn Tokyo? Naci wir! Ym Mhont-y-clun! Ar raglen Caryl! Roedd Bryn Terfel ac Andrew O'Neill efo mi yn edrych fel dau geiliog dandi yn un o

Y wisg wedi ei chynllunio gan
David ac Elizabeth Emanuel.

Cyfres *Margaret* a Chôr Jean Stanley Jones.

Y ddau Frank!

Efo Mam yn
y Bont-faen,
1996.

Nain wedi mopio'i phen yn lân efo'i hwyres, Sara Mair, yn 2006.

Iwan a Sioned.

Manon, Phil a Wil.

Efo Dic Jones yn Eisteddfod Caerdydd. Braint enfawr.

Rhaglen *Ddoe a Heddiw.*

Y Rhuban Glas efo Matthew Rhys.

Manon efo'i phlant, Wil a Nelimai.

Fy wyrion, Sara Mair ac Elain.

Fy wyrion, Wil Jon a Nelimai.

Efo Shân Cothi ar sioe *Amazing Grace*.

Efo fy mab, Iwan.

Geraint a fi ym Madeira, ein hoff le.

operâu Mozart yn eu gwisgoedd sidan a'u wigiau mawr gwyn uchel. Roeddwn i wedi bod mewn cyngherddau efo Bryn droeon, ond erioed wedi cyfarfod ag Andrew O'Neill. Wrth ei weld o yn y dillad 'ma, mi ddechreuais i chwerthin, ac wrth gwrs dyma ynta'n dechrau hefyd – chwerthin fel tasen ni'n blant ysgol! Mae o'n glefyd mae actorion a pherfformwyr yn dioddef ohono fo bob hyn a hyn – yr awydd i chwerthin heb reswm, ac yn ddirybudd, yn amal iawn pan fydd yr olygfa'n ddifrifol, fel y gwn i'n rhy dda. Yr ymadrodd yn y theatr am bwl o chwerthin afreolus ydi *corpsing*. Mae'r enw'n tarddu o gyfnod Shakespeare. Pan fyddai rhywun yn actio bod yn gorff marw ar y llwyfan, byddai'r actorion eraill yn gwneud eu gorau glas i wneud iddo chwerthin. Ac os bydden nhw'n llwyddo, yna byddai'r corff yn cael ffit o'r *corpsing*. Digwyddodd i mi droeon yn fy ngyrfa, chwerthin am ddim rheswm yn y byd.

Roeddwn i'n chwarae rhan mam Evan Roberts y Diwygiwr mewn sioe gerdd efo Shân Cothi a Peter Karrie. Roedd Shân yn gwisgo het fechan o'r cyfnod oedd yn ista'n ansicr ar ei phen ac yn woblo fel jeli pan oedd hi'n cerdded ar y llwyfan. Un noson bu bron i'r het hedfan. Doedd fiw i mi edrych arni hi na'r het grynedig ar ei phen. Roeddwn i a rhai o aelodau'r cast yn ei chael hi mor anodd peidio â chwerthin. Yr unig ffordd i osgoi hynny oedd troi fy nghefn ar Shân a'r gynulleidfa tra oeddwn i'n ceisio fy rheoli fy hun. Ond os oedd het Shân yn destun sbort, roedd fy wig i'n saith gwaeth. Doedd o ddim yn cyrraedd gwaelod fy mhen, dim ond rhyw fymryn ar y corun! Ond dyna fo, mi gawson ni ddigonedd o hwyl. Cyfnod hapus tu hwnt oedd cyfnod y sioe yna.

Pan oeddwn i'n ymddangos mewn cynyrchiadau teledu ac ar y llwyfan fel actores, yn naturiol roeddwn i'n gwisgo dillad oedd yn gweddu i'r cymeriad roeddwn i'n ei chwarae. Ond ar gyfer fy nghyfresi teledu roedd steil y gwisgoedd yn ganlyniad trafodaeth rhyngof i a'r adran wisgoedd, yn enwedig Linda Martin o'r BBC yn Llundain a Judith Jones o Gaerdydd. Byddwn i'n mynd draw i Lundain i fynd o gwmpas y siopau dillad a'r tai ffasiwn i weld beth oedd ar gael. Yna, ar ddiwedd y gyfres, byddwn i'n cael cynnig prynu'r dillad am hanner pris, ac wedyn yn eu gwisgo nhw ar gyfer cyngherddau a sioeau ar y llongau pleser. Dwi'n cofio Hywel Gwynfryn yn sgwennu cân i Caryl oedd yn fy nynwared i ar un o'i sioeau. Parodi oedd hi o 'Anfon Nico', ac yn ystod y gân, bob tro pan fyddai hi'n troi o un camera i gamera arall, roedd hi mewn gwisg wahanol. Dwi'n siŵr ei bod hi wedi newid tua ugain o weithiau.

Un o'r bobol ddylanwadol y cefais i'r pleser o weithio efo fo oedd y cerddor a'r cyfansoddwr Ronnie Hazelhurst. Fo gyfansoddodd y gerddoriaeth i gyfresi fel *Are you being served, Some Mothers do 'ave 'em, Last of the Summer Wine, Yes, Minister* a'r *Two Ronnies*. David Richards, cynhyrchydd sioeau Ryan a Ronnie, ddaeth yn Gyfarwyddwr Cerdd i'r cyfresi, ac yn Neuadd Aberconwy roedden ni'n recordio. Roedd hyn ar ddechrau'r wythdegau a doedd Barcud na Theatr Gogledd Cymru, Llandudno, ddim wedi cael eu hadeiladu ar y pryd. Doedd dim adnoddau cefn llwyfan o gwbwl, ond roedd 'na drefniant i mi fynd i siop drin gwallt yn y dre yng nghwmni Ann Marie, y ferch goluro. Yn ôl a fi wedyn i'r neuadd efo sgarff am fy mhen i ymarfer yn fy *rollers* efo'r camerâu o ddeg tan un, pan fyddai Ronnie yn cyrraedd ac yn disgwyl bod y gerddorfa yn ei lle yn barod. Roedd o'n gwybod i'r dim yn union be oedd o isio. Mi fydden ni'n cael rihyrsal efo'r gerddorfa rhwng un a dau, ac am bump byddai'r corau'n cyrraedd a chyfle am ymarfer efo'r côr a'r gerddorfa eto.

Roedd mynd i Landudno yn gyfle hefyd i fy mrawd a'm chwaer yng nghyfraith, oedd yn byw yno, ddŵad fel aelodau o'r gynulleidfa. Bydden nhw'n dŵad â Marian fy nith, oedd mewn cadair olwyn oherwydd ei bod yn dioddef o *spina bifida* ers iddi gael ei geni. Val Doonican oedd hoff ganwr Marian, a threfnodd Ronnie fod 'na docynnau i Marian a'i mam a'i thad yn y seti gorau i weld Val pan ddaeth o i ogledd Cymru. Ar ddiwedd y sioe roedd Ronnie wedi trefnu fod Marian yn cael mynd i'w stafell newid i dynnu'i llun efo Val, ac roedd y llun hwnnw wrth ochor ei gwely pan fuodd hi farw yn Ysbyty Alder Hey yn saith ar hugain oed. Cafodd Marian ofal arbennig gan ei rhieni a'i brawd hoffus, Adrian, a'i wraig, Lucinda.

Cefais wahoddiad gan y BBC yn Llundain i ganu mewn cyngerdd coffa arbennig i Ronnie Hazelhurst pan fu farw yn 2008. Roedd o wedi gweithio am flynyddoedd efo ni ar S4C, felly roedd hi'n fraint derbyn y gwahoddiad, a chymryd rhan yn yr achlysur arbennig hwn gydag artistiaid eraill a fu'n cydweithio â fo: June Whitfield, Barry Cryer, Terry Wogan, Val Doonican a Cilla Black.

Roedd yr wythdegau'n gyfnod prysur iawn, ond ynghanol y prysurdeb roedd hi'n fraint derbyn gwahoddiad i ganu yng nghyngerdd agoriadol yr Eisteddfod Genedlaethol gan mai Môn oedd cartre'r Eisteddfod yn 1983. Yn ogystal â chanu, roeddwn i hefyd yn cydgyflwyno'r rhaglenni teledu o'r Eisteddfod yng nghwmni Huw Llywelyn Davies. Yn yr Eisteddfod honno y cefais i'r pleser o glywed yr emyn-dôn fuddugol wych gan J. Haydn Phillips, 'Bro Aber', am y tro cynta rioed, efo geiriau anfarwol yr emynydd John Roberts, Llanfwrog, 'O tyred i'n gwaredu, Iesu da'.

Roedd Eisteddfod Genedlaethol 1987 yn un go arbennig i mi. Yn yr Eisteddfod honno y cefais fy nerbyn i Wisg Werdd yr

Orsedd. Cafodd Ryan ei enwebu ar gyfer y Wisg Werdd hefyd yn ôl yn 1977. A phan ddaeth yr Eisteddfod i Gaerdydd, roedd 'na Wisg Wen yn ei aros, ond roedd wedi marw'r flwyddyn flaenorol. Yn 1987 bu farw ffrind pennaf Ryan a chyfarwyddwr nifer fawr o'i raglenni teledu, Rhydderch Jones. Roedd Rhydderch wedi cyfieithu amryw o ganeuon i mi, ac yn eu plith roedd 'Rhosyn Gwyn Athen', a gofynnwyd i mi ganu'r gân honno yn ei angladd. Ar ddiwrnod yr angladd roedd y capel yn Aberllefenni yn orlawn. Cyfeiriodd yr Arglwydd Dafydd Elis-Thomas, yn ystod ei deyrnged i Rhydd, at y ffaith mai un o'i brif nodweddion oedd ei anwyldeb tuag at ei deulu a'i ffrindia. Mi dawelais i rywsut ar ôl clywed y geiriau yna, a sylweddoli mor falch fyddai Rhydd o wybod fod un o'i hoff ganeuon o'n cael ei chanu. Ond penderfynais, ar ôl profiad oedd mor emosiynol, mai ei angladd o fyddai'r angladd olaf i mi ganu ynddo fo. Mae canu mewn cyngerdd coffa'n anodd, ond mae canu mewn angladd yn fil gwaith gwaeth, yn enwedig os oeddech chi mor agos ag yr oeddwn i a Rhydd. Doeddwn i ddim yn ei weld o fel perfformiad o gwbwl, ond yn hytrach yn gyfle, drwy ganu ei eiriau fo, i ddweud wrtho fo'n bersonol gymaint roeddwn i'n ei golli o.

Y flwyddyn ganlynol roeddwn i'n canu'r cywydd i gyfarch T. James Jones, Parc Nest, enillydd coron Eisteddfod Genedlaethol Casnewydd. Dwi'n cofio codi o fy sedd a symud ymlaen at y delyn i ganu'r cywydd. Popeth yn iawn. Y gynulleidfa'n cymeradwyo, ac wedyn cefais funud wan. 'Ydw i i fod i fynd draw i ysgwyd llaw efo Jim? Ella bydd pobol yn meddwl fy mod i'n dangos fy hun. Gwell i mi ista i lawr.' A dyna wnes i. Ond pam, ar ôl i mi gael y ffasiwn anrhydedd, mai'r profiad sydd wedi aros efo mi ydi'r un o deimlo mod i wedi bod yn wirion ar lwyfan yr Eisteddfod Genedlaethol ddeng mlynedd ar hugain yn ôl? Dwi'n falch o ddweud fod Jim Parc Nest a finna'n ffrindia da o hyd.

Roeddwn i'n gweithio yn Saesneg yn ogystal ag yn Gymraeg, ac mewn un gyfres roedd Peter Skellern, a ddaeth yn enwog yn y saithdegau ar ôl i un o'i ganeuon, 'You're a Lady' fynd i'r siartiau, yn westai i mi. 'Un rheol aur' meddai rhywun rywdro, 'Peidiwch â pherfformio gyda phlant ac anifeiliaid'. Wel, mi faswn i'n ychwanegu dawnswyr ambell waith at y rhestr hefyd! Achos yr hyn dwi'n ei gofio am y gyfres honno ydi fod 'na lot fawr o ddawnswyr o gwmpas, ac roedd ceisio cael y saethu cywir, manwl ar bob cam oedd ganddyn nhw'n mynd â llawer iawn o amser y cyfarwyddwr, ac o ganlyniad byddai Peter a finna yn y stafell newid yn gwneud dim ond aros i gael ymarfer. Gofynnodd Peter i mi,

'Tell me, whose show is this?'

'Well, the show's called *Margaret*.

'Then he's got his priorities wrong!'

Mae canu ar lwyfan bob amser yn dŵad ag atgofion yn ôl i mi o'r hogan ifanc, ifanc iawn yn canu ar lwyfan pan oedd hi'n ddim o beth, ac yn mwynhau cymeradwyaeth y gynulleidfa. Ar y llaw arall mae radio yn gyfrwng cartrefol, agos atoch a di-ffws hefyd o'i gymharu â theledu, lle mae'n rhaid i chi blesio cymaint o bobol – y cynhyrchydd, y cyfarwyddwr, y dyn camera, y dyn sain, merched y gwisgoedd a'r coluro... Ond gallwn ddarlledu ar y radio efo cyrlars yn fy ngwallt, slipars am fy nhraed yn gwisgo pyjamas, a fyddai neb ddim callach. Nid mod i wedi gwneud – ddim eto beth bynnag! Felly pan fydd pobol yn gofyn i mi pa gyfrwng rydw i'n ei fwynhau orau, mae'n siŵr mai'r ateb, nad yw'n ateb y cwestiwn mewn gwirionedd, ydi'r un lle dwi'n digwydd bod ar y pryd.

Dwi wedi cael y wefr o ganu gyda chorau gorau Cymru ar fy rhaglenni, ond mae gen i le arbennig yn fy nghalon i Gôr y Rhos. Dwi'n cofio mynd i fyny i Rosllannerchrugog i recordio albwm yn Ysgol y Grango tua diwedd yr wythdegau. Daeth Colin Jones yr arweinydd i'r drws yn ei siwt lwyd a'i dei coch, ysgwyd llaw efo mi a'm tywys i mewn i'r stafell lle roedd y côr yn disgwyl amdana i. Roedden ni'n canu 'La Vergine del Angeli' allan o *Force of Destiny*. Aethon ni drwyddi hi unwaith, recordio'n syth ac wedyn recordio 'Jerusalem'. O'r holl ganeuon dwi wedi eu recordio, mae clywed y ddwy gân yna'n brofiad emosiynol iawn bob tro: lleisiau'r côr, cyfeiliant John Tudor Davies, Colin Jones yr arweinydd yn sefyll o fy mlaen i'n awdurdodol a chadarn, pawb yn chwarae ei ran, a finna o ganlyniad yn cael y teimlad anhygoel hwnnw o ryddid wrth ganu efo nhw. Roedd o'n deimlad emosiynol iawn a bythgofiadwy.

Byddwn yn cael gwahoddiadau gan bobol, nid yn unig i ganu mewn cyngherddau ond i arwain y cyngerdd hefyd gan fy mod i ar y pryd yn gyflwynwraig ar S4C. Ond roedd yn well gen i ganolbwyntio ar y canu, felly mi fyddwn i'n gofyn i Robin Jones ddŵad efo mi i gyflwyno. Cefais wahoddiad i gynnal fy noson yn union fel fy rhaglenni teledu yn Neuadd Brangwyn, Abertawe a Neuadd Gwyn, Maesteg, ond gofynnais i Robin gyflwyno. Dwi'n cofio canu yn 1973 yng nghapel Tabor, Maesteg mewn cyngerdd wedi ei drefnu gan Dilys Richards, arweiniddes Côr Plant Maesteg, ac roedd ei merched hi, Ceri a Menna, yn canu yn y côr. Ymhen blynyddoedd roeddwn i'n gwneud cyfres radio, a phwy oedd yr ymchwilydd ar y gyfres honno ond Ceri Wyn Richards, y ferch fach oedd yn canu yn y côr. Efo Ceri yn cynhyrchu y cyflwynais raglen o sgwrs a chân yn dwyn yr enw *Harmoni*, ymhlith nifer o raglenni eraill.

O'r stiwdio honno hefyd y byddwn i'n cyflwyno rhwng rhaglenni, a bryd hynny doedd 'na fawr o 'harmoni' yn bresennol. Ar wahân i gysylltu'r rhaglenni â'i gilydd roeddwn i hefyd yn darllen y bwletin newyddion, a'r noson arbennig yma roedd y bwletin yn hwyr yn cyrraedd a doedd 'na fawr o gyfle i edrych drwyddo fo cyn ei ddarllen. Dyma fi'n dechrau darllen y bwletin, ac roedd yr eitem gynta'n arwain at eitem wedi ei recordio o flaen llaw. Felly, yn ystod honno cefais gyfle i edrych ar yr eitemau nesa a'r wybodaeth am y tywydd. Ond doedd 'na ddim golwg o'r wybodaeth angenrheidiol yn y newyddion. Tra oeddwn i'n darllen y straeon nesaf, dyma'r ferch oedd yn gofalu am yr wybodaeth am y gwynt a'r glaw yn dŵad i mewn i'r stiwdio, ac yn sgwennu'r wybodaeth i lawr tra oeddwn i'n cario mlaen i ddarllen. Cyn iddi hi orffen ei sgwennu roedd hi'n amser i mi ddechrau ei ddarllen o. Mewn geiriau eraill, roedd hi'n rhy hwyr. Felly dyma fi'n cloi'r bwletin drwy ddweud, 'Dyna'r newyddion. A'r tywydd? Wel, cymysglyd braidd.' A dyna ni!

O fewn ychydig eiliadau ar ôl i mi orffen darllen dyma'r ffôn yn y stiwdio'n canu – Ifan Wyn Williams, Pennaeth Newyddion Cymraeg a pherson hynaws iawn oedd ar y lein,

'Hylô, Margaret, sut wyt ti heddiw?'

'Wel, dwi'n swp sâl a deud y gwir'

'Paid â phoeni – neith o ddim digwydd eto.'

Tybed ai awgrymu'n garedig, 'Well iddo fo beidio' oedd o?

Amseru oedd fy mhroblem fawr i. Penderfynu'n fathemategol am faint o amser roedd yn rhaid i mi siarad rhwng diwedd un rhaglen a dechrau'r nesaf. Doedd Geraint y gŵr yn cael dim problem o gwbwl, oherwydd bod ganddo fo gymaint mwy o brofiad na fi ac yn fathemategydd tipyn gwell hefyd! Felly, mi fyddwn i'n ei ffonio fo ryw ddeng munud cyn diwedd y rhaglen oedd yn cael ei darlledu ar y pryd, gosod y broblem iddo fo'n frysiog a'i ffonio fo'n ôl bron yn syth i gael yr ateb. Tasa pobol ond yn gwybod! Weithiau mae darlledu fel gwylio alarch ar y llyn yn nofio'n hamddenol braf, ond o dan y dŵr pâr o draed yn mynd ffwl pelt!

Dwi'n dal i gofio'r pnawn dydd Sul yr aeth *Caniadaeth y Cysegr* ar goll. Roeddwn i wedi mynd i'r stiwdio mewn da bryd, fel y byddwn i bob amser, i sicrhau bod popeth mewn trefn. A finna wedi bod yn gweithio a pharatoi drwy'r pnawn dyma fynd, rhyw ugain munud cyn amser *Caniadaeth y Cysegr*, i nôl y tâp. Ond doedd o ddim yn ei le! Rhedeg i fyny ac i lawr y grisiau bedair gwaith, fel iâr heb ben, er fy mod i wedi gweld y tro cyntaf nad oedd y tâp yn y cwpwrdd lle dylai o fod. Pwy ddaeth i mewn, wrth lwc, a rhyw bum munud i fynd cyn y byddai'r gynulleidfa eiddgar yn clywed *Caniadaeth y Cysegr,* ond Wyndham Richards, cyhoeddwr profiadol. Ffoniodd Wyndham y BBC ym Mangor, 'Wyndham sy 'ma. Ydi *Caniadaeth y Cysegr* ganddoch chi? Da iawn.' Yna fe drodd achubwr fy nghroen ata i a dweud, 'Agor di dy feicroffon a chyflwyna'r rhaglen a bydd popeth yn iawn.' A dyna be wnes i. 'A rŵan, ar bnawn dydd Sul braf iawn, o gapel Moreia, Llangefni, dyma *Caniadaeth y Cysegr.*' A dau gan milltir i ffwrdd ym Mangor gwasgwyd botwm, ac fel y proffwydodd Wyndham darlledwyd *Caniadaeth y Cysegr* i'r holl bobloedd.

Ddiwedd yr wythdegau bu farw Nhad. Roedd o wedi bod ar ei ben ei hun mewn *isolation ward* yn Ysbyty Eryri am dair wythnos efo'r diciâu y tro hwn, a dim ond y teulu agos yn cael mynd i'w weld o, efo dillad gwyn yr ysbyty amdanom a masgiau am ein hwynebau. Roedd Nhad yn gwisgo masg ocsigen am fod ei wynt o'n fyr ar ôl blynyddoedd o weithio yng nghanol llwch y chwarel. Ond erbyn hyn roedd meddyginiaeth ar gael ar gyfer cleifion TB. Cafodd Nhad ugain o dabledi i'w cymryd efo'i gilydd am flwyddyn gyfan. Anodd, ond cafodd fendio. Ond ymhen cwpwl o flynyddoedd roedd y frest llawn llwch yn chwarae'i thriciau unwaith eto. Aed ag o i ysbyty'r C&A a bu farw fis Tachwedd 1989, adeg Sul y Cofio. Yn rhyfedd iawn, hwnnw oedd un o ddyddiau pwysica'r flwyddyn i Nhad gan mai fo oedd yn cario Baner y Lleng Brydeinig yn ystod y gwasanaeth wrth y gofeb ym Mrynsiencyn.

Roeddwn i'n dal yn brysur, yn gwneud cyngherddau a rhaglenni teledu, ac yn crwydro Cymru a Lloegr. Ar gyfer un gyfres dwi'n cofio mynd i recordio i Lundain efo Annette, Olwen a Marina (Genod Tŷ'r Ysgol, fel roedden nhw'n cael eu galw) yn lleisiau cefndir i mi. Y tair yn dal trên yn gynnar yn y bore o Fangor a dal y trên hwyr yn ôl, ar ôl recordio dwsin o ganeuon yn y cyfamser. Roeddwn i wedyn yn ffilmio'r caneuon mewn gwahanol leoliadau: Tal-y-llyn, y Lôn Goed, Gerddi'r Dyffryn, a'r rheiny'n cael eu cynnwys mewn gwahanol raglenni.

Mi fues i hefyd yn canu efo grŵp o genod oedd wedi bod yn rhan o'r Vernons Girls. Un ohonyn nhw oedd Vicki Brown, gwraig Joe Brown, un o sêr roc y chwedegau. Vicki oedd un o'r lleisiau cefndir gorau oedd ar gael, ac roedd hi wedi rhannu llwyfan efo George Harrison, Pink Floyd, Elton John, Bryan Ferry a dwsinau o enwau eraill. Yn ddiweddar iawn yn ei gyrfa y cafodd hi enwogrwydd yn yr Iseldiroedd, efo trefniant i'r llais o'r consierto i'r clarinet gan Mozart. Dwi'n cofio hi'n dweud wrtha i, 'It's happening at last – and I'm fifty.' Ond roeddwn i wedi sylwi un diwrnod yn y stiwdio nad oedd hi'n bwyta dim ac wedi colli pwysau. Cefais wybod yn drist iawn iddi gael canser y fron. Bu farw yn Henley-on-Thames yn 1991 yn hanner cant oed.

Digwyddodd rhywbeth tebyg i gantores arall, Penny Jukes, oedd wedi canu yn y *Black and White Minstrel Show*. Roedden ni'n dwy efo'n gilydd yn *Stars on Sunday* ac yn rhannu fflat yn Llundain. Ar ôl gorffan ar y sioe honno mi ddaru ni ffarwelio, a dyna'r tro olaf i mi ei gweld hi. Ar y ffordd i Gaerlŷr i wneud pantomeim bu farw mewn damwain car. Mae'r pethau 'ma'n gwneud i rywun ofyn ar adegau fel yna, 'Be' sy'n fy aros i?' Diolch i'r drefn nad oes ganddon ni 'run syniad.

Roeddwn i'n ffodus iawn ynghanol helyntion bywyd i gael tipyn o waith comedi yn ystod yr wythdegau. Ar glawr cylchgrawn *Sbec* mis Chwefror 1984 mae 'na lun sy'n dal i roi gwên ar fy wyneb i. Llun o'r actor Brinley Jenkins yn ista y tu ôl i fwrdd mawr crand efo Gari Williams yn sefyll un ochor iddo fo, mewn trwsus cordiroi a llinyn beindar yn ei ddal o i fyny, a Phylip Hughes yn sefyll yr ochor arall wedi ei wisgo fel Bleddyn, y *teddy boy*, ac yn tywallt gwin i wydr Brinley, perchennog y gwesty gwallgof Hafod Henri.

Cefais wahoddiad i dreulio diwrnod yn y gwesty, fi a fy 'rheolwr', oedd yn cael ei chwarae gan Sion Probert, a chwaraeodd ran Maldwyn yn *Grand Slam*! Yn ôl y stori roedd Bleddyn yn un o fy ffans mwyaf, ond mi fanteisiodd ar y cyfarfyddiad hanesyddol rhyngddon ni'n dau i adael i mi wybod llais mor dda oedd ganddo fo, ac i geisio fy mherswadio fi i ganu'r ddeuawd 'Hywel a Blodwen' efo fo. Petawn i wedi cael gwahoddiad gan Phylip Hughes, yr actor oedd yn chwarae rhan Bleddyn, yna mi fyddwn i wedi cytuno'n syth, oherwydd mae gan Phylip lais da ac mae'n berson cerddorol iawn. Ond Bleddyn oedd yn ceisio fy narbwyllo fi, ac roedd hi'n amlwg yn ôl yr ychydig frawddegau roedd Bleddyn yn eu canu wrth geisio dwyn perswâd arna i na fyddai canu deuawd efo fo yn hwb i fy ngyrfa fi mewn unrhyw ffordd, dim ond y ffordd oedd yn arwain ar i lawr! Ond yn y diwedd mi gytunais i. Wel, roedd cadw wyneb syth tra oedd Bleddyn yn canu 'Mae nghalon yn eiddo i Blodwen erioed' ryw filltir allan o diwn bron yn amhosib, ond mi lwyddon ni yn y pen draw, ac roedd Bleddyn yn hapus!

Mewn cyfres gomedi efo Roy Noble mi fues i'n bownsio i fyny ac i lawr efo fo ar wely dŵr – peidiwch â gofyn, a bues i'n fam i Nia Roberts yn y gyfres *Y Ferch Drws Nesa*. Dwi'n dal i gofio un llinell oedd gen i i'w dweud pan oeddwn i'n trio fy ngorau glas i berswadio fy merch i ffeindio cariad, 'Mae amsar yn hedfan, cofia, a chyn bo hir y peth mwya ecseiting yn dy fywyd di fydd *hot flush* ar yr *escalators* yn Marks and Spencers!' Gwych!

A sôn am eiriau cofiadwy, dyma ddisgrifiad tafod-ym-moch o Gymru'r wythdegau:

They've got Merched y Wawr, *they've got* corau *male voice,*
They've got Gwersyll yr Urdd, Russell Grant *and* Max Boyce
Ond Frank, mae'n anodd i gael tŷ a chael gwaith
It's not chwarae plant, *you know, saving the* iaith.

A phwy oedd awdur y geiriau? Mae 'na gliw amlwg yn yr enw 'Frank'. Roedd y ddau Frank wedi symud o Newcastle i Gymru, wedi dysgu Cymraeg ac am fynd ati yn eu ffyrdd unigryw eu hunain i achub yr iaith Gymraeg, a 'siarad Cwmraeg, all the way'. Estynnais wahoddiad iddyn nhw fod yn westeion ar fy nghyfres deledu ac mi ganon ni gân efo'n gilydd – amhosib oedd cadw wyneb syth! Roedd S4C yn credu fod rhoi eu sioe eu hunain i'r ddau Frank, sef Meirion Davies a Rhys Ifans, yn syniad da. A phan gefais i wahoddiad i fynd ar y rhaglen roeddwn i wrth fy modd, nes i mi glywed fy mod yn cael fy ngwisgo fel ffarmwr ar ochor mynydd ym mis Chwefror yn ceisio rhoi 'dip' i'r ddau Frank a nhwtha wedi'u gwisgo fel dwy ddafad! Roeddwn i'n ceisio defnyddio brws llawr i hel y ddau i mewn i'r dip ac i amddiffyn fy hun hefyd, gan fod yr hogia'n trio'u gorau glas i nhynnu fi mewn i'r dŵr. Cawsom hwyl garw yn gwneud y ffilmio. A dweud y gwir roedd o'n ddiwrnod 'Chuffin' grêt!

Un gwestai wnes i fwynhau ei gwmni o'n fawr iawn oedd yr actor Dafydd Hywel, neu DH i bawb. Roedd Dewis Pws yn ei alw'n 'Alff Garnant', nid yn unig am mai un o'r Garnant oedd Dafydd, ond am ei fod o fel yr hen Garnett yn dweud ei farn yn bendant bob amser am bopeth, yn enwedig y theatr a'r cyfryngau yng Nghymru, a hynny'n ddiflewyn-ar-dafod. Mêt mawr DH oedd Ray Gravell, a dwi'n cofio gofyn i Ray ar y rhaglen efo pwy y basa fo'n hoffi actio tasa fo'n cael y dewis. Wnaeth o ddim oedi cyn ateb, 'Robert de Niro a Dafydd Hywel'. Ac nid gwamalu oedd o chwaith.

Dwi'n cofio recordio rhaglen yn ystod yr wythdegau, mewn tŷ mawr crand yng nghefn gwlad Sir Gaerfyrddin. Roedd DH wedi cael map yn dangos lleoliad y tŷ a'r geiriau 'Route 66' wedi'u sgwennu o dan y ffordd ar y map oedd yn arwain at y lleoliad. Fel y gwyddoch yn iawn, er bod 'na ffordd enwog iawn yn America o'r enw 'Route 66' yn ymestyn o Chicago i California, does 'na'r un ffordd debyg yn Sir Gaerfyrddin. Ac eto bu DH (a finna) yn chwilio amdani! Erbyn iddo gyrraedd pen ei daith, roedd o'n hwyr i'r ymarfer, a gallech ei glywed o'n gweiddi ac yn rhegi, 'Bloody Route, bloody 66' o bell. Erbyn iddi ddŵad yn amser i ni sgwrsio efo'n gilydd roedd o wedi tawelu ac yn westai hynod ddiddorol.

Ond wyddoch chi be, nid y sgwrs dwi'n ei gofio'n bennaf, ond y ffaith ei fod o wedi canu. Dwi'n ama'n fawr a oedd y gynulleidfa, na'r gwylwyr, yn disgwyl ei glywed o'n canu'r gân werin 'Pan ddelwyf i Gymru'n ôl' o dan deimlad, mor hyfryd ac yn ddigyfeiliant.

Pennod 11

'Mi geisiaf eto ganu cân'

Cawsom golled fawr fel teulu pan fu farw Bryniog, fy mrawd hynaf. Roedd o wedi mynd i Ben Llŷn i ganu efo Hogia'r Mynydd, parti roedd o'n aelod ohono fo, a dechreuodd gael problemau anadlu yn ystod y cyngerdd. Aethpwyd ag o i'r ysbyty am brofion, ac yn y pen draw cafodd wybod fod ganddo ganser ar yr ysgyfaint. Gwrthododd gael triniaeth cemotherapi na radiotherapi gan fod y meddygon wedi dweud mai chwe mis oedd ganddo fo. Tri mis ar ôl cael y newyddion drwg, bu farw. Roedd o'n dweud drwy'r amser nad oedd ganddo fo ddim ofn marw, a bu mor urddasol yn y ffordd y wynebodd o bethau. Edrychodd Katie ei wraig, oedd rai blynyddoedd yn hŷn na fo, ac Anwen ei ferch ar ei ôl yn dyner tra eisteddai Bryniog yn dawel yn ei gadair. Roedd Mam yng nghartre nyrsio Brynsiencyn yn holi drwy'r amser lle roedd o. Doedd Bryniog ddim isio mynd yno rhag ei phoeni hi. Ond yn y pen draw mi fedrais i lwyddo i'w berswadio fo i'w gweld hi ychydig cyn iddo'n gadael ni. Roedd hi'n ddychrynllyd o anodd mynd i nôl Mam o'r cartre er mwyn mynd â hi i'r angladd yn ei chadair olwyn i Gapel y Graig, Abersoch. Welais i rioed angladd mwy nag un Bryniog, a hynny adeg y Nadolig 1998. Roedd o'n chwe deg saith mlwydd oed.

Roedden ni'n dau'n agos iawn, a dwi'n credu fod ei farwolaeth o wedi cael effaith fawr arna i. Pan ddaeth yr Eisteddfod Genedlaethol i Sir Fôn yn 1999 gofynnwyd i mi ganu yn ystod seremoni'r Fedal Ryddiaith ac yn y cyngerdd oedd yn agor yr ŵyl yn swyddogol. Dwi'n cofio cael fy holi gan Dylan Iorwerth am y cyngerdd, a phan ddywedodd o 'A chi, Margaret, fydd *top of the bill'*. Mi es i banic llwyr a dweud, 'Na! Na! Dwi'm isio i chi ddeud hynny. Peidiwch â sôn am *top of the bill*, plis.' Roeddwn i'n cael *panic attack* yn y fan a'r lle. A'r unig esboniad sydd gen i ydi mod i'n ymateb yn eithafol i golli Bryniog, oedd fel tad i mi pan oeddwn i'n blentyn, ac i'r penderfyniad wnaeth Geraint a fi, yn dilyn y brofedigaeth honno, i symud i fyw i'r gogledd er mwyn cael bod yn agos at Mam.

Tua'r un adeg cefais wared o bob beirniadaeth, pob tystysgrif, popeth roeddwn i wedi'i ennill ymhob eisteddfod ers y cychwyn. Pan dwi'n edrych yn ôl, alla i ddim llai na meddwl ei fod o'n ymddygiad cwbl afresymol, a dweud y lleia. Yn wir, byddai rhai'n dweud ein bod ni wedi bod braidd yn fyrbwyll yn gwerthu'r tŷ yng Nghaerdydd a symud i'r gogledd mor fuan, yn hytrach nag aros am ychydig i ystyried yn fwy gofalus beth fyddai'r penderfyniad gorau. Ond mae teimladau personol yn gryfach na rheswm ambell waith. Tri mis yn unig ar ôl symud bu Mam farw ar ddiwrnod olaf 1999. Tra oedd pawb arall yn dathlu dechrau canrif newydd a mileniwm newydd, roedden ni'n cynnal gwasanaeth angladdol i Mam yng Nghapel Mawr, Brynsiencyn. Ar ei charreg fedd mae'r un geiriau ag oedd ar garreg fedd ei thad, 'Mi a ymdrechais ymdrech deg, Mi a orffennais fy ngyrfa.' Do, ymdrechodd yn galed yn erbyn poenau'r cryd cymalau pan oeddwn i'n ifanc i fy magu i a'm brodyr. Aeth â fi i eisteddfodau a chyngherddau ar draws y wlad er mwyn i mi fagu hyder ar gyfer yr yrfa oedd o fy mlaen. Roedd Mam yn allweddol yn natblygiad fy ngyrfa i yn ogystal ag yn fy mywyd personol. Hi oedd y dylanwad mwyaf arna i, heb amheuaeth.

Ddechrau'r ganrif newydd roeddwn i'n mwynhau gwneud amrywiaeth o waith: teithio Cymru yn holi pobol ddiddorol ar gyfer *Wedi Tri*, ailymuno â phentrefwyr Cwm Deri fel cymeriad newydd, sef Hetti oedd yn byw yn America ond wedi dychwelyd i Gymru efo'i mab. Roedd hi'n bleser cael cydactio efo Llion Williams, Iris Jones a Sue Roderick. Roedd fy asiant i ar y pryd yn cynnig gwaith fyddai wedi mynd â fi yn bell oddi cartra, ond roeddwn i wedi cael cyfle i grwydro'r byd ar y llongau ac i gynnal cyngherddau i'r milwyr, heb sôn am ymweld â theatrau ledled Prydain. Felly, pan ddaeth galwad ganddo fo i fynd am glyweliad yn Llundain, doeddwn i ddim mor siŵr a oeddwn i am fynd, nes iddi ddweud mai *The Sound of Music* oedd y sioe ac y byddai hi'n cael ei pherfformio yn Aberystwyth.

Draw â fi felly i Lundain, a chyrraedd ddiwrnod yn rhy gynnar, y diwrnod roedden nhw'n cyfweld y dynion! Ond cefais ganu 'Climb every Mountain'. Pan ddechreuais ganu, roedd y cyfeilydd yn chwarae'r cyfeiliant mor gyflym nes bod y gân yn swnio fel '*Run up every mountain*'. Bu'n rhaid i mi ei anwybyddu braidd a'i dynnu'n ôl i'r tempo cywir. Roeddwn i wrth fy modd yn cael rhan y Fam Abades yn y sioe a daeth y cyfeilydd a finna'n ffrindia da yn ystod y cyfnod yn Theatr y Werin yn Aberystwyth. Yr unig beth a'm synnodd oedd mai fi oedd yr unig Gymraes i gael un o'r prif rannau. Mae'n wir fod y canwr oedd yn actio rhan Captain Von Trapp, sef Glyn Kerslake, yn dŵad yn wreiddiol o Gaerffili ac wedi bod yn chwarae rhan y Phantom yn *Phantom of the Opera* yn y West End, ond byddai wedi bod yn braf cael rhai o'r lleisiau gwych oedd ganddon ni yng Nghymru.

Yn 2004 roeddwn i'n dathlu hanner can mlynedd yn y busnas, a phenderfynodd S4C y bydden nhw'n llenwi'r sgrin am noson gyfan, fel gwnaethon nhw efo Ryan, efo rhaglenni oedd yn adlewyrchu'r amrywiaeth o gynyrchiadau roeddwn i wedi bod yn rhan ohonyn nhw dros y blynyddoedd. Gofynnwyd i mi recordio cyngerdd yn Theatr Gogledd Cymru yn Llandudno, ond wyddwn i ddim ar y pryd am y rhaglenni eraill oedd yn cael eu paratoi. Ar lwyfan y theatr cefais glamp o syrpréis pan ddaeth Dai Jones ymlaen a chyflwyno rhosyn i mi, rhosyn oedd wedi cael ei dyfu a'i feithrin yn arbennig ar fy nghyfer i a'i enwi ar fy ôl i hefyd. Roeddwn i wedi fy nghyffwrdd yn fawr. Yn wir, roedd hi'n noson mor emosiynol, pan ofynnwyd i mi ddweud gair yn y parti ar ôl y cyngerdd fedrwn i ddim ond dweud tri gair 'Diolch yn fawr' – rhywbeth tebyg i Nhad yn fy mhriodas! Ond ella fod hynny'n dweud y cyfan, achos rydw i'n ddiolchgar iawn am y cyfleon dwi wedi eu cael, gwireddu'r freuddwyd fach ddiniwed o fod isio canu ar y BBC!

Priododd Iwan yn 2004 efo Sioned, ac yn rhyfedd iawn mae 'na gysylltiad eisteddfodol rhwng Sioned a finna. Pan oeddwn i'n cystadlu am wobr goffa Lady Herbert Lewis roeddwn i'n rhannu'r llwyfan efo Buddug Lloyd Roberts, nain Sioned. Fyddai hi ddim yn iawn i mi ddweud pwy enillodd rhag ofn i chi feddwl mod i'n clochdar, ond Buddug ddaeth yn ail! Fel Manon, mae gan Iwan hefyd ddau o blant, Sara Mair ac Elain Haf. Mae Geraint a finna'n cyfrif ein hunain yn ffodus iawn ein bod ni'n byw mor agos at yr wyrion, nid yn unig oherwydd ein bod ni'n medru eu gweld nhw unrhyw amser, ond hefyd am ein bod ni'n medru cynnig chydig o help llaw.

Roedd 2007 yn flwyddyn drist o safbwynt colli ffrindia. Un ohonyn nhw oedd Alma Carter, y dois i i'w hadnabod yn dda pan oedden ni'n paratoi ar gyfer Eisteddfod Genedlaethol Caerdydd 2008. Y ferch arall oedd Gwenda. Roedd Megan, mam Gwenda, a fy mam inna'n nabod ei gilydd yn dda gan fod y ddwy'n aelodau o gôr Niwbwrch, ac roedd yr arweinydd, John Hughes, yn ewythr i Gwenda. Dros y blynyddoedd datblygodd y cyfeillgarwch rhwng y ddau deulu, ac roedd Catrin, merch Gwenda, sy'n chwarae rhan Cadi yn *Pobol y Cwm*, a fy merch i, Manon, yn ffrindia pennaf yn yr ysgol yn Glantaf.

Pan fydda i'n meddwl am Gwenda, cofio'r hwyl a'r chwerthin gefais i yn ei chwmni y bydda i. A chofio hefyd mor annwyl a thyner y bu ei phartner, y dramodydd Meic Povey, yn gofalu amdani yn ystod ei gwaeledd, tan y diwedd. Ysgrifennodd Meic amdani hi'n deimladwy iawn yn ei hunangofiant ar ôl ei marwolaeth. Yn drist iawn bu farw Meic ei hun ym mis Tachwedd y llynedd.

Taswn i'n rhoi enw i'r flwyddyn 2008 yna Blwyddyn y Wisg Wen fyddai'r enw hwnnw. Roedd y teulu i gyd – Geraint, Manon ac Iwan wedi dŵad i faes yr Eisteddfod i ngweld i'n cael fy urddo gan Dic Jones yn ei flwyddyn gynta fel Archdderwydd, ac oherwydd ei waeledd hon fyddai ei flwyddyn olaf hefyd. Roedd hi'n seremoni bwysig i mi a'r teulu, am fwy nag un rheswm. Ond welson nhw mo'r seremoni. Oherwydd bod y tywydd mor lawog penderfynwyd cynnal y gweithgareddau yn y Babell Lên. Caewyd y drysau ar gais yr Arwyddfardd a dilynodd y stiwardiaid ei orchymyn. Yn anffodus roeddwn i yn fy ngwisg wen y tu mewn a Geraint a'r plant y tu allan. Roeddwn i a nhwtha mor siomedig. Fel rheol mae angen dweud wrth stiwardiaid yr Eisteddfod fwy nag unwaith cyn y bydd y drysau'n cael eu cau, a tasa'r stiwardiaid ddim wedi gwrando ar y gorchymyn y tro cynta byddai'r teulu wedi medru sleifio i mewn. Ond roedd stiwardiaid Caerdydd yn dallt eu gwaith i'r dim – yn anffodus.

'Offeryn gwerthfawr.' Dyna ddisgrifio'r llais i'r dim. Pan es i ar daith efo John Hanson yn y sioe *Rose Marie* yn y saithdegau roeddwn i'n canu bob nos, a ddwywaith y dydd ar ddydd Mercher a dydd Sadwrn. Chollais i'r un perfformiad, na cholli fy llais chwaith, a hynny dwi'n siŵr oherwydd bod y gwersi roeddwn i wedi'u cael yn ifanc wedi fy nysgu sut i ganu heb roi straen ar y llais. Ond yn 2010 digwyddodd rhywbeth i'r llais ddaru achosi pryder i mi, a dweud y lleia.

Roeddwn i wedi trefnu cyngerdd mawr blynyddol y Maer yn Neuadd y Ddinas ac yn cyflwyno'r cyngerdd yn ogystal â chanu. Aeth popeth yn ddidrafferth. Ar y pryd, roeddwn i'n llysgennad yr elusen Bobath, a oedd wedi trefnu barbeciw i godi arian ac wedi fy ngwahodd i yno. Ista o dan goeden oeddwn i, pan deimlais fy nghefn i'n oer – ac roedd hyn ym mis Mai. Erbyn mis Mehefin roeddwn i'n teimlo'n sâl, ond wedi gwneud ymdrech ar ran Bobath i gefnogi noson lle roedd 'na griw o feicwyr wedi reidio'u beics o Gaergybi i Gaerdydd, yn cael croeso adre swyddogol y tu allan i Ganolfan y Mileniwm. Ar y ffordd yno yn y car roeddwn i'n meddwl y byddai'n rhaid i mi droi am adra; ond ymlaen â fi, parcio wrth ymyl yr Eglwys Norwyaidd a cherdded o fanno yn chwys i gyd i groesawu'r beicwyr. Ymlaen wedyn i Gwrt Insole yn Llandaf, lle roedd Aneirin Karadog o'r rhaglen *Heno* yno disgwyl amdana i wneud cyfweliad efo mi. Yn ystod y cyfweliad roeddwn i'n ymwybodol fod fy llais yn mynd yn is ac yn is, ac erbyn diwedd y sgwrs doedd gen i ddim llais o gwbwl. Es i weld arbenigwr, a chael peipan i fyny fy nhrwyn a lawr fy ngwddw a doedd dim byd o'i le. Dim tyfiant o gwbwl ar linynnau'r llais – *vocal chords*. Ond pan oeddwn i'n trio dweud rhywbeth, neu ganu nodyn, roedd o'n swnio fel crawcian hen frân.

Aeth misoedd heibio a doedd y llais ddim wedi dŵad yn ôl. Roeddwn i'n poeni'n ofnadwy erbyn hyn, ac wedi colli dwy stôn am fy mod i'n methu bwyta. Trodd annwyd yn *bronchitis*, ac roeddwn i hefyd yn cael cur pen. Es i i feddwl mai llefrith oedd yn achosi hynny ac felly dyma stopio yfed llefrith, stopio bwyta caws. Yn ara deg bach, dros gyfnod o fisoedd, daeth y llais yn ôl, ond nid fel roedd o cynt. Cefais wahoddiad i ganu efo Only Men Aloud yng Nghanolfan y Mileniwm, ond gwrthod wnes i ynghyd ag amryw o wahoddiadau eraill. Yn ara bach daeth y llais yn ôl, ond cymerodd lawer mwy o amser i'r hyder ddŵad yn ôl hefyd.

Ers 2010 dwi wedi canu rhyw bytiau yma ac acw, ond dydw i ddim wedi sefyll ar lwyfan a chanu caneuon fel roeddwn i'n arfer gwneud ers talwm. Braf felly oedd cael Côr Meibion Llanelli yn westeion i mi ar fy rhaglen Nadolig *Ddoe a Heddiw* yn 2013 a chydganu 'O deuwch, ffyddloniaid.' Roeddwn i'n poeni gymaint ymlaen llaw am sefyll o flaen y côr a chanu. Roeddwn i tu hwnt o bryderus, er mai carol syml oedd hi ac y byddai'r sioe yn cael ei recordio ymlaen llaw. Er mwyn tawelwch meddwl fe ganais ar fy mhen fy hun, heb y côr, ac fe olygwyd y perfformiad i edrych fel petawn i'n canu efo'r côr.

Cefais wahoddiad yn 2017 i ganu yn Eisteddfod Genedlaethol Môn. Fel hogan o Fôn roeddwn i isio derbyn, wrth gwrs, ond byddai wedi bod yn brofiad emosiynol iawn i mi, ac felly wnes i ddim. Roeddwn i wedi cael bod yn unawdydd yng nghyngerdd Côr Mawr Ysgolion Môn 1957, wedyn yn 1983 ac 1999 a byddai canu yn y Noson Lawen wedi bod yn goron ar y cwbwl, drigain mlynedd ers i mi ganu yno'r tro cynta. Wrth lwc, dwi'n un sy'n gweld y gwydr yn hanner llawn bob amser. Dydw i ddim yn edrych yn ôl ac yn dweud, 'Wel, mae ngyrfa ganu fi drosodd', ond yn hytrach, 'Dwi di cael canu am flynyddoedd – tydw i'n lwcus.' A dwi'n dal i fedru siarad pymtheg y dwsin a chyflwyno rhaglenni radio, fel yr *Hen Ganiadau*.

Yn 2012 roeddwn i yn y stiwdio yn Eisteddfod Llanelli yn gwrando ar gystadleuaeth yr Hen Ganiadau efo Nia Roberts, ac yn rhoi fy sylwadau ar y gystadleuaeth. Roeddwn i'n teimlo bryd hynny fod y gystadleuaeth yn haeddu mwy o sylw, ac felly pan gefais fy ngwahodd yn ôl i wrando ar y gystadleuaeth eto yn Eisteddfod Dinbych cefais syniad am raglen, a oedd yn gyngerdd mewn gwirionedd. Yr unawdwyr: John Davies, Llandybie; Emyr Jones, Cil-y-cwm; John James Thomas, Llanelli ac eraill, yn canu'r hen ganiadau mor afieithus ag unawdwyr dan bump ar hugain oed: 'Arafa Don', 'Llam y Cariadon', 'Craig yr Oesoedd', 'Ynys y Plant'... Mae'r unawdau yma mor boblogaidd ag oedden nhw pan gawson nhw eu canu gynta, flynyddoedd yn ôl erbyn hyn. Ar ôl sgwrs efo Golygydd Radio Cymru, Betsan Powys, mi gytunodd hithau y byddai cyfres o'r fath yn boblogaidd. Cefais fodd i fyw yn gwrando ar ragbrofion yr Hen Ganiadau yn Ninbych, Meifod a'r Fenni; cael holi'r cystadleuwyr a chael cynnwys datganiad nifer ohonyn nhw ar y radio. Braint hefyd oedd cael bod yn Llywydd cyngerdd mawreddog Yr Hen Ganiadau yng nghapel Moriah, Llangefni fis Mawrth 2017 a'i gyflwyno ar Radio Cymru.

Chwe mis ynghynt roedd Geraint a finna wedi bod yn mwynhau ein hunain ar ein gwyliau blynyddol yn Madeira, ac ar y noson ola yn y gwesty mi deimlais boenau yn fy mrest fel pinnau bach yn mynd i mewn i nghroen. A hynny fu. Y diwrnod wedyn, ar ôl glanio yn y maes awyr ym Mryste, roeddwn i'n teimlo'n anniddig ac yn ddiamynedd hefyd. Roedd o'n deimlad rhyfedd. Wythnos yn ddiweddarach roeddwn i ar fy ffordd i'r gwely a dyma fi'n teimlo cosi o dan fy mron chwith, mewn dau le, a theimlo hefyd fod 'na rywbeth caled yno, tua'r un maint ag ewin bys.

Os dwi'n poeni am rywbeth dwi'n dueddol o'i gadw fo i mi fy hun, felly wnes i ddim sôn wrth Geraint tan y bore wedyn. 'Rhaid i chdi fynd i weld y doctor,' medda fynta'n syth, ac mi aethon a chyfarfod merch annwyl iawn. Ar ôl esbonio wrthi hi mod i'n meddwl fod gen i lwmpyn o dan fy mron mi ddywedodd y byddai hi'n cael golwg, ond i mi beidio â phoeni gan fy mod i'n edrych mor iach. Beth bynnag, ar ôl teimlo fy mron i medda hi, 'Yes, I think we'd better get you to Llandough Hospital to see someone.' Ffonio'r ysbyty a nhwtha'n dweud wrtha i na faswn i ddim yn medru gweld neb tan fis Ionawr, hynny ydi, ymhen dau fis. Doeddwn i ddim isio aros tan ddiwedd Ionawr, a chan fod ganddon ni yswiriant preifat dyma ffonio Llandochau a dweud ein bod ni am fynd yn breifat. A dyna wnes i a chael *mammogram* ac *ultrasound* a *biopsy*. Roeddwn i'n emosiynol iawn, mae'n rhaid cyfaddef, ond roedd Helen, y nyrs oedd yn edrych ar fy ôl, yn hynod annwyl a charedig.

Cadarnhaodd Doctor Goyal y llawfeddyg fod gen i ganser y fron ac y byddai angen llawdriniaeth arna i. Byddai'n rhaid i mi gael *mastectomy*. Ychydig ddyddiau wedi i mi weld y llawfeddyg y cefais i'r adwaith difrifol i'r newyddion roeddwn i wedi'i gael ac i'r hyn oedd o 'mlaen i. Roeddwn i'n beichio crio; methu stopio. Wyddwn i ddim mod i'n medru crio fel 'na. Sut oeddwn i am ddweud wrth y plant? Roedd y Dolig o'n blaenau ni, ac ar ben popeth arall roeddwn i fod i recordio rhaglen efo Nia Roberts yn y gyfres *Tra bo Dau* efo Arwyn, mab Ryan Davies. Roeddwn i'n teimlo pwysau ofnadwy ar fy 'sgwyddau. Ac yn ychwanegol at hyn i gyd roeddwn i wedi cynnig syniadau i Radio Cymru ac wedi cael gwybod fod gen i gyfarfod efo nhw ymhen dyddiau.

Penderfynais ffonio Betsan Powys, y Golygydd, ac esbonio'r sefyllfa a hitha'n dweud yn syth, 'Peidiwch â phoeni. Fe allwn ni aildrefnu os bydd raid.' Wel, roedd hynny'n llwyth oddi ar fy meddwl, ac yn wir ar fore'r diwrnod roeddwn i'n recordio'r rhaglen efo Nia ac Arwyn mewn tafarn ar gyrion Caerdydd penderfynais na fedrwn i mo'u siomi nhw. Dyma fynd yno, cyfarfod Nia ac

Arwyn a dechrau recordio. Roedd popeth yn mynd yn iawn, nes i mi yn ystod y recordio ddechrau meddwl unwaith eto am y canser, ac roedd yn rhaid i mi dynnu'r meicroffon i ffwrdd a mynd allan o'r stafell i'r tŷ bach i grio. Ar ôl dros hanner can mlynedd o ganu'n broffesiynol roedd y geiriau 'the show must go on' wedi'u serio i mewn i nghroen i. Dwn i ddim sut, ond ar ôl sychu'r dagrau es i'n ôl a gorffen y sgwrs, orau medrwn i.

Ddeuddydd yn ddiweddarach galwodd Iwan heibio'r tŷ, ac wrth gwrs doeddwn i ddim wedi sôn o gwbwl wrtho fo nac wrth Manon am y salwch. Munud eisteddodd o lawr, mi ganodd y ffôn. Helen o'r ysbyty oedd yno. 'Margaret,' meddai hi, 'I shouldn't say this to you. But I've got good news for you, the cancer hasn't spread.' Y fath ryddhad! Fel gallwch chi fentro, es i'n emosiynol iawn ac ar ôl mynd yn ôl at Iwan a Geraint roedd Iwan wrth gwrs am wybod beth oedd yn bod arna i. Dyma fi'n dweud wrtho fo be oedd wedi digwydd. Fel gallwch chi feddwl, roedd o wedi'i syfrdanu ac yn crio, wrth gwrs – y tri ohonon ni'n crio efo'n gilydd. Ar ôl i ni stopio crio a jest syllu'n syn o'n blaenau, dyma Iwan yn dweud yn dawel, 'Dim ond dod yma i symud cadair wnes i.' Roedd ei glywed o'n dweud hynny mor annisgwyl, a dyma'r tri ohonan ni'n anghofio am y crio ac yn dechrau chwerthin. Diolch byth am hiwmor.

Ond ochor yn ochor â hyn, wrth gwrs, roedd 'na boen ac Iwan yn naturiol isio gwybod mwy. Eglurais wrtho y byddwn i'n cael y llawdriniaeth ac y byddwn i allan yn syth. Ond roedd o isio gwybod pryd fyddwn i'n cael y llawdriniaeth, ac mi fynnodd mod i'n ffonio'r ysbyty i mi ei chael hi'n gynt ac y byddai o'n talu. Pan fydd rhywun mewn cymaint o boen mae egwyddorion yn mynd allan drwy'r ffenest, mae arna i ofn. A dyna ddigwyddodd. Yn lle mod i'n mynd i gael y llawdriniaeth ddiwedd Ionawr, daethpwyd â'r dyddiad ymlaen fis a dweud y byddwn i'n cael y driniaeth bedwar diwrnod cyn y Dolig, diolch i Iwan annwyl a Sioned hefyd, a fu mor ofalus ohona i.

Wedyn roedd o isio gadael i Manon wybod, a dyma ni'n trefnu ei gweld hi ar y dydd Sul. Profiad dychrynllyd o anodd eto oedd dweud wrthi hi be oedd yn bod, ond roedden ni i gyd yn cysuro'n gilydd. Dywedodd Manon wrtha i wedyn ei bod hi'n gydwybodol gredu fod y meddyg wedi dweud fod 'na rywbeth yn bod ar y llais, felly roedd o'n goblyn o sioc iddi pan ddywedais i wrthi mod i'n mynd i gael llawdriniaeth am ganser y fron.

Yr hyn oedd yn syndod i mi pan es i mewn am y driniaeth ar yr unfed ar hugain o Ragfyr oedd nad oedd gen i ofn o gwbwl. Roeddwn i'n teimlo'n berffaith llonydd y tu mewn. Cafodd Helen, y nyrs, air efo fi am yr hyn roeddwn i fod i'w wneud ar ôl y llawdriniaeth, a'r hyn nad oeddwn i fod i'w wneud. 'You mustn't use your left arm or lift anything at all.' Roedd y pedwar ohonon ni'n edrych yn syn ar ein gilydd yn dawel wrth sylweddoli mawredd yr holl beth. A dyma Geraint yn dweud, 'But your right arm will be ok to stir the gravy.' Chwerthin? Peidiwch â sôn, y pedwar ohonon ni, a Helen hefyd!

Dyna lle'r oeddwn i wedyn yn y gwely yn aros i'r anesthetydd gyrraedd. Mi ddaeth ymhen hir a hwyr – yn ei ddillad moto-beic. A'r cwestiwn cyntaf ofynnodd o oedd, 'Mrs Jones?' 'Yes.' 'Date of birth?' 'Twenty third of July 1941.' 'Good grief!' Cystal ag awgrymu, chwarae teg iddo fo, mod i'n edrach yn dda o ddynes mor hen! 'I won't be long,' medda fo, ac i ffwrdd â fo.

Er fy mod i ar fin mynd i mewn i'r theatr, yn fy nagrau erbyn hyn, a'r teulu'n trio'u gorau i 'gadw wyneb', fedrwn i ddim peidio â gwenu, ac ynta wedi bod mor gyfeillgar. Mi ddywedodd yr anesthetydd a'r nyrs ryw jôc wnaeth i mi chwerthin, ond y cwbwl dwi'n ei gofio o'r hyn ddigwyddodd wedyn oedd bod y nyrs fel tae wedi cyffwrdd fy mraich i. A dyna ni. Roeddwn i'n cysgu.

Y peth nesa dwi'n ei gofio ydi deffro, efo pawb o nghwmpas i, wedi cael y llawdriniaeth. Roeddwn i'n lwcus, es i ddim yn sâl ar ôl yr anesthetig. Ymhen deuddydd roeddwn i adra ac wedyn roedd hi'n Dolig. Daeth Manon draw i goginio'r cinio, ac roeddwn i'n teimlo'n ddigon da i gynnig help llaw – â fy mraich dde hefyd i droi'r grefi!

Manon druan! Roedd ganddi ddau o blant bach, chwech a thair oed, yn edrych ymlaen at Siôn Corn. Mae'n rhaid ei fod yn Nadolig anodd dros ben iddi hi, bod efo'i theulu bach drwy'r bore ac efo ni weddill y dydd. Dwi'n diolch hefyd i'w phartner, Phil, am ei help drwy gydol y cyfnod yna.

Galwodd y *District Nurse* bob dydd wedi hynny, gan gynnwys Dydd Nadolig, a'r hyn oedd yn braf oedd eu clywed nhw'n dweud, 'Os byddwch chi'n poeni unrhyw bryd ddydd neu nos, cofiwch ffonio.' Roedd hynny'n gysur mawr.

Ddiwedd y mis roeddwn i'n mynd i weld Mr Goyal, yr arbenigwr, i glywed beth oedd ei farn am ganlyniad y llawdriniaeth. Roedd Geraint efo fi, a rhywsut pan welson ni o roedden ni'n dau'n amau fod 'na rywbeth o'i le. Roedd y geiriau ddywedodd o wedyn yn cadarnhau hynny, 'I'm afraid it has spread.' Esboniodd eu bod nhw wedi rhoi prawf ar un o'r *lymph nodes* a bod y canlyniad yn positif. 'So, we'll have to go back there.'

Roedd clywed hynny'n ddigon i mi. Pan aethon ni allan o'r ystafell pwysais yn erbyn y wal a chrio, a chrio. Methu stopio. Ar ôl mynd adra dwi wedi sgwennu yn fy nyddiadur: 'Anhapus. Llawdriniaeth arall Ionawr 11eg.'

Roeddwn i'n bryderus iawn yn ystod yr wythnos cyn i mi fynd i mewn am y llawdriniaeth. Does gen i ddim cywilydd dweud i mi weddïo unwaith neu ddwy gan deimlo'n euog iawn fy mod i'n gweddïo am fy mod i isio help. Roedd cwmni ffrindia'n gymorth garw; mynd am baned efo ambell ffrind fel Eirlys Britton, Heulwen Haf, Ceri Wyn, Ieuan Rhys... Roedd cwmni Aled Gwyn yn gwmni i'w drysori, ac wedi bod felly ar hyd y blynyddoedd.

Unwaith eto, er mod i'n poeni'n ofnadwy cyn mynd i mewn am y llawdriniaeth i Ysbyty Llandochau, ar y diwrnod ei hun roeddwn i'n iawn. Cerddodd Manon a finna i mewn am hanner awr wedi saith y bore rhewllyd hwnnw tra oedd Geraint yn parcio'r car. Roedd pedair ohonon ni i gael llawdriniaeth. Am hanner awr wedi naw, dyma nyrs yn galw fy enw. Fi oedd gynta! Anodd oedd peidio â chrio wrth i'r gwely gael ei wthio tuag at y theatr, ond roeddwn i'n ôl efo fy nheulu annwyl ymhen amser. Y tro hwn roedd yr anesthetig yn effeithio'n wahanol iawn arna i, ac roeddwn i'n dal yn sâl am hanner nos. Treuliais y noson honno ar Ward Anwen, a chefais wybod eu bod nhw wedi tynnu pedwar ar bymtheg o *lymph nodes* a bod canser mewn pedwar ohonyn nhw. Roedd y nyrsys ar Ward Anwen mor gefnogol, a dywedwyd wrtha i os oedd 'na unrhyw beth yn fy mhoeni fi, i mi ddŵad yn ôl i'r ward yn syth. Mae'r math yna o wasanaeth gan y Gwasanaeth Iechyd Cenedlaethol yn rhoi tawelwch meddwl i chi.

Un o'r cynghorion gefais i gan y nyrsys oedd cadw dyddiadur. Wrth edrych yn ôl ar y dyddiadur, dwi'n gallu gweld mor bell dwi wedi dŵad yn sgil y canser.

Ionawr 18fed. I westy'r Copthorne am ginio efo Ger. Neis iawn. Rhai diwrnodau da, rhai ddim cystal. Weithia'n teimlo'n isel a ddim yn gwybod pam. Ond dyna be sy' i'w ddisgwyl, am wn i.

Chwef. ail. Gweld Doctor Borley yn Felindre. Cael

gwybod bod rhaid i mi gael pymtheg sesiwn o Radiotherapy.

Ella'i bod hi'n anodd i bobol sydd wedi fy ngweld i ar y teledu gredu pan ddyweda i nad ydw i ddim yn berson balch, yn poeni am fy nelwedd. Doedd meddwl am golli fy ngwallt ddim yn poeni gormod arna i, ac roeddwn i'n gallu rhesymu fod colli fy mron yn well na cholli fy mywyd.

Chwef 26ain. Yn ôl i ysbyty Llandochau i weld Mr Goyal. Cael clywed y byddwn i'n mynd i Felindre i gael 15 sesiwn o Radiotherapy ac wedyn tabledi i'w cymryd bob dydd am byth.

Mawrth 4ydd. Am fynd i fyny i Gapel Moreia Llangefni i fod yn Llywydd Cyngerdd yr Hen Ganiadau ar gyfer Eisteddfod Genedlaethol Môn. Dim ond dau fis sydd ers yr ail lawdriniaeth. Gobeithio mod i ddim yn gneud gormod.

Dwi'n cofio teimlo'n fregus iawn ar y pryd, a phan gerddais i mewn i'r capel mi ddaru'r gynulleidfa gymeradwyo, ac mi gyffyrddodd hynny fi'n arw. Roedd 'na nifer o wynebau cyfarwydd yno – Jane Edwards a Derec Llwyd Morgan, Mary Lloyd Davies, ac Evie Jones, trefnydd cymanfaoedd heb ei ail a ffrind da hefyd. Roeddwn i wedi paratoi araith, ond roeddwn i'n gwybod na fyddwn i'n medru sefyll a wynebu pawb, felly cytunodd Derec i'w thraddodi hi ar fy rhan i. Canwyd 'Duw Ŵyr' a 'Tosturi Duw', caneuon roeddwn i wedi canu lot fawr arnyn nhw. Felly, ar y naill law roeddwn i mor falch fy mod i wedi mynd, ond ar y llaw arall roedd gwrando ar yr Hen Ganiadau, a chofio'r dyddiau cynnar a'r holl eisteddfodau y bues i'n canu ynddyn nhw, yn brofiad emosiynol iawn.

Ofn.

Dyna'r unig air sydd yn y dyddiadur bach ar gyfer fy ymweliad cyntaf ag Ysbyty Canser Felindre am y sesiwn cyntaf o *radiotherapy*. Roedden nhw wedi dweud wrtha i am fynd â cherddoriaeth efo mi i wrando arno fo yn ystod y driniaeth. Roeddwn i am fynd â Stuart Burrows yn canu 'Bonny Mary of Argyle'. Ond ailfeddwl wedyn ar ôl cofio ei bod hi'n gân mor drist a phenderfynu mynd â CD o Bryn Terfel ac Andrea Bocelli efo mi. Ac felly, bum gwaith yr wythnos am dair wythnos roeddwn i'n gorwedd ar y gwely mawr 'ma yn yr ysbyty yn cael triniaeth *radiotherapy* a lleisiau Bryn ac Andrea yn canu deuawd 'Y Pysgotwyr Perl' yn gwmni i mi. Mae'n rhaid i mi ddweud fod un wraig wedi gwneud i mi chwerthin ynghanol hyn i gyd wrth glywed llais Bryn, 'He's got a BOOMING voice, hasn't he.' Bu bron i mi â dweud, 'Yes. Booming lovely'. Dwi'n credu fod pawb yn yr ysbyty wedi'i glywed o.

Ebrill 7fed. Radiotherapy ola' Hwrê!

Roedd mynd â Manon yn ôl i'w gwaith ar ôl y sesiwn ola un y bore hwnnw'n bleser pur. Wrth i ni gyrraedd y BBC roedd dwy o ferched sy'n gweithio yn Radio Cymru yn cyrraedd yr un pryd, Angharad Davies a Ffion Orwig. Sôn am falch oeddwn i o'u gweld nhw ar y diwrnod arbennig yna! Mi redodd y ddwy ata i, mor falch o weld fy mod i'n gwella. Rhywbeth i'w gofio.

Y diwrnod canlynol roeddwn i'n dechrau cymryd y tabledi i gael gwared o'r oestrogen, ac mae 'na sgil effeithiau ar ôl eu cymryd nhw. Mae rhywun yn teimlo'n lluddedig, ac mae'r croen yn sychu a'r gwallt yn teneuo. Bydd rhaid i mi gymryd y rhain am weddill fy oes. Ond, dyna fo, os oes rhaid i mi, mae'n rhaid i mi.

Yn ystod y cyfnod roeddwn i'n cael y driniaeth, ac am fisoedd wedyn hefyd, roeddwn i'n cael siarad â chwnselydd o'r ysbyty, Julie Armytage. Roedd cael siarad yn rheolaidd am fy nheimladau a fy ofnau efo Julie yn gymorth ac yn nerth i mi hefyd. Byddwn yn fy nagrau bob tro ar y cychwyn a hitha'n egluro popeth i mi. Dwi'n dal i gofio'i geiriau hi tua'r diwedd. Ysgrifennais nhw i lawr yn syth tra oedd Geraint yn fy nreifio i adra,

> 'When I look at you sitting here, I see a calm serene person, with a great deal of warmth, but who is fragile. Yet I know you've had a long career in a tough business, and that tells me you have a strong backbone with a core of steel, and you've brought that with you to this.'

Roedd hi wedi fy neall i i'r dim. Ac roedd ei geiriau hi'n fy atgoffa i o'r hyn y byddai Gwenda, fy ffrind gorau, yn ei ddweud bob amser. Roedd hi wedi colli ei thad pan oedd hi'n un ar bymtheg oed, a'i mam wedi ei magu hi a dau hogyn fengach ar ei phen ei hun a phres yn brin. Fy mam inna wedi brwydro yn erbyn poen annioddefol cryd cymalau ar hyd ei hoes ac eto'n medru dweud yn ddi-ffael, 'Neith o ddim mistar ohona i.' Byddai Gwenda bob amser yn dweud, 'O! Merchaid Niwbwch a Bryn. Mae na *steel* ynddyn nhw!' Bu'n rhaid i mi brofi gwirionedd y dywediad yna fwy nag unwaith yn 2017, oherwydd bu'n daith a hanner efo mwy nag un tro annisgwyl ar y ffordd honno.

Ar fore Sul y trydydd o Ragfyr cefais alwad ffôn gan fy nai Adrian i ddweud fod Albert, fy mrawd, wedi'n gadael ni. Canu oedd ei fyd. Bu'n aelod ffyddlon o gôr Maelgwn o dan arweiniad Trystan Lewis, a fu'n ddigon caredig i anfon neges ata i o fewn dau ddiwrnod ar ôl iddo glywed y newyddion trist am farwolaeth Albert. Bu Trystan yn aelod o Gôr Meibion Maelgwn er pan oedd o'n hogyn ifanc ac yn ista y drws nesa i Albert yn rhengoedd yr ail fas. Dywedodd yn ei deyrnged i Albert,

> Dyma un o'r lleisiau bas mwyaf godidog a glywais erioed; llais a gwisg felfed amdano. Doedd C dwbwl na B flat dwbwl nac unrhyw un o'r nodau dwfn yn broblem o gwbwl i Albert. Fe fu'n aelod ffyddlon yn ystod fy nghyfnod o bymtheg mlynedd gyda'r côr, a chwta ddeufis ar ôl fy mhenodi'n arweinydd roeddem yn ennill cystadleuaeth Stena Sealink a doedd neb yn fwy llawen nag Albert – *basso profundo* Brynsiencyn.

Mae'r ffaith fod Albert, fel Mam a Bryniog, wedi'n gadael ni adeg y Dolig yn gysur rywsut. Amser i'r teulu ydi'r Dolig, amser i gofio. Mi fydda i'n cofio amdanyn nhw'n gariadus iawn am byth; ac yn cofio am Nhad hefyd, wrth gwrs, er na ddaru o ddim cadw at y patrwm o fynd dros yr Ŵyl, ond yn hytrach ym mis Tachwedd, ar Sul y Cofio. Roedd rhaid iddo fo fod yn wahanol, 'doedd. Cymeriad i'r diwedd.

Tua'r un adeg â'r alwad drist am Albert cefais alwad arall. Un tro arall yn y ffordd. Ond y tro hwn galwad oedd hi i godi'r galon, gan ferch ifanc hwyliog a siaradus o Radio Cymru. Catrin oedd ar y lein, neu 'Catrin Canu' fel mae hi'n cael ei nabod, am fod ganddi lais canu da iawn. Isio gwybod oedd hi a fyddwn i'n fodlon mynd yn westai ar raglen Caryl. Mae'n rhaid i mi ddweud, rhoddodd y gwahoddiad yna hwb i mi. Ac erbyn hyn dwi'n edrych ymlaen i weithio ar gyfres am adloniant efo Dylan Meirion, y cynhyrchydd sy'n trio ceisio cadw trefn ar Tudur Owen!

Ar ôl cael y canser ella mod i wedi tybio na fyddai neb byth yn gofyn i mi wneud dim byd eto. Mae rhywun yn colli ei hyder, ac mae galwad ffôn a chlywed llais y pen arall yn gofyn i chi gyfrannu i raglen yn dŵad â'r hyder yn ei ôl, achos flwyddyn yn ôl roedd rhywun yn byw o ddydd i ddydd ac roedd pob dydd yn hunlle. Dwi'n diolch am bob dydd heddiw, ac am y ffaith y byddaf yn cael fy ngweld gan yr arbenigwr bob chwe mis.

Ar ôl i mi glywed y newyddion am y canser wnes i ddim canu nodyn, ac roedd honno'n sefyllfa anodd iawn i ddygymod â hi. Ond roedd un emyn yn gysur mawr i mi a byddwn yn ei ganu droeon – yn fy meddwl,

> Bydd yn wrol, paid â llithro,
>   er mor dywyll yw y daith
> y mae seren i'th oleuo:
>   Cred yn Nuw a gwna dy waith.

Mae canu'n codi'r ysbryd, ond mae methu canu yn gallu'ch llorio chi. Ond o leia, dwi wedi bod yn ôl at y piano unwaith neu ddwy yn ddiweddar a chael canu'r emyn go iawn y tro hwn! Ac mae 'na eiriau bach yn dal i sisial sibrwd yn fy nghlustiau bob hyn a hyn, 'Tyd 'laen, Margaret! The show must go on!' A mynd ymlaen wneith hi, a finna hefyd tra medra i.